米国経済指標の見方・読み方・生かし方

松本英毅

数字の変化でつかむ市場動向

Pan Rolling

【免責事項】
※本書に記載されているURLなどは予告なく変更される場合があります。
※ TradingViewは、米TRADINGVIEW, INC.の登録商標です。
※本書に記載されている会社名、サービスなどはそれぞれ各社の商標および登録商標です。

まえがき

経済指標の分析は相場予想に役立つの？

皆さんは経済指標というと、どういったイメージをお持ちでしょうか。真っ先に思い浮かぶのは、米国の雇用統計という方も多いのではないでしょうか。発表時間に合わせてリアルタイムで、その結果や内容を分析する配信も多いため、投資を始めて間がないという人でも一度は耳にしたことがあるかと思います。

この結果が市場の事前予想から大きくかけ離れる、いわゆる「サプライズ」という内容になると、相場が大きく動いたり、流れが180度変わってしまったりすることも珍しくありません。これによって良い思いをすることも、痛い目に遭うこともあると思いますが、経済指標の発表が相場の大きな変動要因となることは疑いの余地のないところです。

経済指標はまた、足元の経済の状況を判断するうえでの重要なバロメーターでもあります。「今景気がどのような状態にあるのか」、「この先良くなっていくのか悪くなるのか」、また「良くなるとすれば、どの分野に期待することができるのか」、こうした細かい見通しを立てるための判断材料として欠かすことはできません。

経済指標を無視して市場に投資することは、安全走行を行うための様々な計器類を見ることなしに車の運転や飛行機を操縦するようなものです。もちろんそれでも飛行機を飛ばすことはできるでしょうが、いざ何らかのトラブルに見舞われた際、適切に対処できないリスクは極めて高いでしょう。

経済指標を見て、分かることと分からないこと

もちろん、経済指標が万能というわけではけっしてありません。市場分析の専門家ともいえる大手の投資銀行のアナリストが様々な情報を駆使して事前予想を打ち立てても、結果が予想を大きく外れることも多いですし、仮に予想通りの内容となったとしても、市場が意外な反応を見せることも少なくありません。それにより、経済指標などは投資にはほとんど役に立たないと考えている人もいると思います。

大切なのは「経済指標を見ることによって分かること」と「分からないこと」をはっきりと理解することなのです。それらを踏まえたうえで正しく経済指標を利用することができれば、今後の投資にも必ずプラスの効果をもたらすことになるでしょう。

私は若いころニューヨークでミュージシャンをしていました。そこから転身してマーケットの世界に入って20年以上、米国の経済指標を追いかけてきました。特に自身のウェブサイト(yosoukai.com)を立ち上げて以降は、米国で発表されるほぼ全ての経済指標のデータの整理や分析を行い、それに対する市場の反応を確認し、ウェブサイトにアップすることを繰り返しています。

経済学に基づいた学術的な分析や解説は専門家の方にお任せするとして、本書ではあくまでも投資家やトレーダーの目線による、経済指標の分析方法や投資への生かし方を紹介していきたいと思います。20年以上に渡り、継続して経済指標を追いかけ続けてきた経験は、必ず読者の皆さんのお役に立つと思いますし、そうなることを願ってやみません。

■よそうかい！com　トップページ

yosoukai.com

目次

第3章　企業の経済活動を基にした経済指標

第4章　個人の消費活動を基にした経済指標……69

第5章　雇用に関する経済指標 …… 89

第7章　住宅に関する経済指標　137

第1章

経済指標とは何か

1－1　経済指標は、経済の状態を把握するうえで欠かせないデータ

経済指標は、その国の経済の状態を把握するうえで欠くことのできない重要なデータです。人間の健康に例えるなら、株価が体温や血圧といった分かりやすいデータなのに対し、経済指標は血液検査やCTスキャンといった、精密検査の結果と言うこともできるでしょう。

毎日精力的に走り回り、すこぶる健康に見える人でも実際には深刻な健康上の問題を抱えており、それが定期健診によって明らかになったというのはよくある話です。何らかの問題があれば、どこかにその兆候が表れるものですが、それはやはり検査してみないことには発見することができません。誰にでも分かるほどに状態が悪化してからでは、手遅れになっている恐れが高いのです。

経済もそれと同じで、株価がしっかりと上昇を続けるなど非常に好調そうに見えている状況下でも、経済指標を細かく分析してみると、悪い兆候が至るところに見られるということはよくあります。それとは反対に、どこからどう見ても今は最悪だという中でも、将来的な回復の兆しをつかみとることも可能です。

こうした将来的な大きな経済状況の変化を、少しでも早い段階で見極めることができれば、投資にも非常に有利になります。そのためにも、経済指標の継続的な観察や分析は欠かすことができないのです。

1－2　経済指標には様々な種類がある

経済が数多くの要素から成り立っているのと同様、経済指標にも様々な種類があります。左記などは一般的に耳にしたことがあるのではないでしょうか。

米国雇用統計	米労働省が毎月発表する雇用情勢を示す指標
国内総生産（GDP）	モノやサービスをどれくらい作り出したのかを知るための指標。米商務省が四半期ごとに発表
消費者物価指数（CPI）	米労働省が毎月発表するインフレ率を示す指標
小売売上高	小売業の売上高を集計したデータ。米商務省が毎月発表
個人消費支出（PCE）	個人がどの程度の金額を消費に回したのかを知るための指標。米商務省が毎月発表
住宅着工件数	その月に建設が開始された住宅の件数、米商務省が毎月発表

雇用統計が政府発表のものと民間企業が発表するものや、同じ項目を違った角度から調査・分析しているものがあるため、あまりにも数が多くてどれを見てよいのか分からない、という人もいるでしょう。

ですが、カテゴリー別に系統立てて整理していけば、それほどややこしいものでもありません。

本書では経済指標を見慣れていない方を対象に詳しく解説していきます。
では、具体的にカテゴリーを分けてみましょう。

①経済活動の活発さを知るための指標（景気関連指標）
②雇用の状況を表した指標
③物価の動向に関する指標
④住宅に関する指標
⑤モノやサービス、資金の移動に関する指標

ざっくり分けると、この5つが基本となります。このうち、①の景気関連指標に関してはさらに細かく、企業（生産者）の活動と、個人（消費者）の活動とに分けることもできると思います。それ以外にも注目すべき指標はありますが、まずはこの5つのカテゴリーに注目し、一つひとつ順番に見ていくようにするとよいでしょう。

本書でもこのカテゴリーに基づいて、ひとつずつ細かく解説していきます。これらのカテゴリーを紹介する順番についてですが、最初に取り上げた景気関連指標が雇用関連や物価関連指標よりも重要であるということではありません。市場の注目度に関しても同様です。もちろん注目度が高く、発表される数字に相場が大きく反応する経済指標はありますが、それもその時々の経済

環境や市場のセンチメントで変わってきます。よって紹介する順番に優先的な意味はありませんが、データ数が多いため比較的分析がしやすく、初心者の方にも理解しやすいという理由で景気関連指標を最初に取り上げました。

米国の経済指標に不慣れな方は、まずは景気関連指標を注意深く観察することで指標の見方や分析方法を理解するとよいでしょう。もちろん、より自分に関係する業界やテーマの指標があればそちらを主軸にしても構いません。いずれにせよ数多く発表される経済指標を闇雲に追いかけることはせず、何かひとつのカテゴリーに注目し、数カ月間その数字を追いかけていくことをおすすめします。そのうえで他のカテゴリーの指標を見ていけば、比較的すんなりと仕組みや特徴が頭に入ってくると思います。

ただし、こうした情報は一度解説を読めばそれですべてを理解し、周辺状況をイメージできるというものではありません。気になる経済指標が発表されたら該当する項目を読み返し、実際の結果やそれに対する市場の反応などを見ながら自分なりの分析をしてみてください。その作業を繰り返すことで、徐々に理解が深まり、自分のなかで米国だけでなく世界経済の全体像をつかめるようになるはずです。経済指標には様々なものがあり、ほぼ毎日発表されますから、本書を横に置いて辞書代わりに活用していただけたらと思います。

1－3　経済指標は、サプライズを予想してそれに賭けるものではない

さて経済指標は精密検査と言いましたが、あくまでもここまでの経済活動の状態を反映した結果（数字）にすぎません。今後の景気動向を単純な形で指し示してくれるものでも、ましてや市場の方向性を教えてくれるものでもないことは忘れないでください。あくまでも統計時期の経済状態を分析し、今後の景気動向や相場の流れを予想するための情報のひとつとして利用するものなのです。

経済指標が予想を大幅に上回るなど、いわゆるサプライズが飛び出した際には市場が大きく動くことも多いですが、それにいちいち振り回されていては、結果的に大きな流れを見失ってしまうことになるでしょう。経済指標は、結果が予想を上回るか下回るか、強気のサプライズが出るのか弱気のサプライズになるのかを予想して、その方向に賭けるといった丁半博打のような使い方をするためのものではありません。もちろんそうした目的で使うことも可能ですが、それなら内容を分析したり、成り立ちを勉強する必要もないでしょう。

本書はあくまでも、ここまでの経済の状況を判断し、中長期的な景気動向や相場の流れを予想することを目的として解説していきます。

1－4　ヘッドラインに単純に反応するプログラムトレードには注意

とはいえ特に市場の注目度の高い経済指標が発表されると、その内容によっては相場が大きく動いてしまうのも事実ですが、その流れに逆らって損失を膨らませることは避けたいものです。特に最近はアルゴリズムトレーディングやプログラムトレーディングなど、ニュースのヘッドライン(見出し)に反応して自動的に大量の売買注文を入れるコンピュータープログラムが数多く動くようになり、状況もかなり変わってきました。

経済指標の内容が市場予想を上回ったか・下回ったかだけに着目し、発表直後に激しく相場が動くことが当たり前になっています。加えて今後はＡＩ(人工知能)の発達によって、そうした動きがますます顕著になっていくでしょう。ただし、経済指標はそこまで単純なものでもありません。少し時間をかけて細かい内容を分析してみれば、市場の初期反応が間違っていたということが分かり、反対方向にさらに大きく相場が動くことも少なくないのです。

経済指標を短期的な売買の材料に使うことは、かなり難しいと考えておいたほうがよいと思います。ましてや発表直後にその内容を見て、コンピューターに負けない速さでオーダーを入れることなど不可能です。経済指標はやはり、中長期的な景気動向や相場の方向性を予測するためのツールのひとつとして使うべきでしょう。

1−5　市場はなぜ、経済指標に過剰反応したり、無視したりするのか

では相場はなぜ、経済指標に大きく反応するのでしょうか。前述のヘッドラインに反応するコンピュータートレーディングの影響を除外しても、やはり経済指標は相場を大きく動かす材料になることが多いです。なぜ市場は経済指標に注目し、結果に一喜一憂する形で大きく動くのでしょうか。ここではその理由や背景について、少し考えてみたいと思います。

まず重要なのは、やはりその経済指標に対する市場の注目度です。これは今後の景気動向に大きな影響及ぼすのかどうかで、かなりの部分が決まるといってもよいでしょう。「雇用統計」はもちろん注目度ナンバーワンですし、市場がインフレの行方を気にしているときには「消費者物価指数」、個人の消費動向が注目を集めているときには「小売売上高」、景気動向そのものが材料視されている場合にはISM指数などの「景況感指数」などに対する反応が大きくなると思います。

また同じカテゴリーの経済指標は相次いで発表されることが多く、それが事前の期待を高めることも相場が大きく動く要因のひとつになります。例えば米国労働省からの雇用統計の発表の2日前には、ADP（オートマティック・データ・プロセッシング）という民間の雇用サービスの会社から民間雇用数（ADP雇用統計）の発表があり、それによって市場の注目度がさらに高まることもあります。

パターンとしては、(1)指標の発表前に市場の期待が過剰に高まり、大きく相場が動く。(2)発表

前にはあまり注目されなかったにもかかわらず、内容が大きなサプライズだったことから相場が動く、の二つがあると思います。

(1)の場合は、事前に相場が動けば動くほど、発表後は内容にかかわらず材料出尽くし感から相場が反対方向に動くことも多いので注意が必要です。もちろん、市場に期待以上のサプライズが飛び出した際には同じ方向に流れが一段と傾くこともありますが、割合としては少ないと思います。

(2)の場合は、単純に指標の結果に素直に反応して、市場が動き始めることが多いのではないでしょうか。

ただ、やはり基本は経済指標の発表を短期的なトレードの材料にしないことです。あくまでも指標の内容をしっかりと分析し、将来的な方向性を予測することに重点をおきたいものです。

1－6　日本人にとっての世界各国の経済指標

ここまで読んで「そもそも日本に住んで日本株にしか投資してないのに、米国の経済指標を追う必要なんてあるのか？　ニュースなどの情報だけでいいだろ」と思った方もいるかもしれません。もちろん日本株は、日本経済の状況や企業業績を基に株価が形成されることは間違いないでしょう。しかしながら、日本経済は国内だけで完結しているわけではありません。モノや情報、サービスや技術、人材などあらゆるものが行き交うボーダレスの時代。米国をはじめとした世界経済の影響を大きく受けていることも事実です。特に日本は米国と経済的な結びつきが強いですから、なおさらでしょう。「米国がくしゃみをすれば、日本が風邪をひく」との言い回しがあるように、やはり日本の景気や市場動向を見るうえで米国の景気動向を知ることは非常に重要なのです。

もちろん日本株を取引する際には、まず日本の景気動向をしっかりと把握しておく必要がありますし、そのために日本の経済指標をチェックしなければならないことはいうまでもありません。ですがその際に米国の景気動向をしっかりと把握しているのといないのでは、日本や投資先の企業についての分析、ひいては投資判断にも大きな違いが出てくるでしょう。

中国や欧州圏の経済指標を見ることも重要ですし、投資する企業によっては米国よりも大きな影響を受けるセクターもあるでしょう。ただ、世界中のありとあらゆる国や地域の経済指標を網羅、分析し、経済動向を頭に入れるのはかなり無理があると思います。

生業として世界の経済指標の分析を細かく見る必要が求められている専門家や、一日24時間ひたすらやっていたいという人なら話は別ですが、限られた時間内でそれをこなすのはほぼ不可能でしょう。だとすれば、やはり経済規模が世界一位の米国の指標を優先的に見るのが効率的ではないかと思います。軍事的、政治的にもまだ大きな影響力を有する米国の動向を追うことで、世界的な大きなトレンドや潮目を感じることができるでしょう。

また、発表される経済指標の内容は世界各国でそれほど大差あるものではありません。もちろん国が変われば発表の仕方や項目、カテゴリーの分け方などに違いは出てきます。ですが基本をしっかり押さえておけば、仮に見慣れていない国の指標でも、すんなりと理解することができるでしょう。ただし、国が発表する経済指標が必ずしも正確とはかぎりません。信憑性に乏しく、対外的に良く見えるように調整している可能性を払拭できないものもあります。その点でみても、データが充実し信頼度も高い米国の経済指標は、最初に取り組む対象としては最適と言うことができるでしょう。

本書は経済指標におけるプロを作るためのものではありません。あくまで指標をもとに、世界経済の大きな流れを自分のなかでイメージできるようにするためです。そしてそれを、あなたの投資やビジネスに役立ててほしいと願っています。

景気循環指標の構成指標例／カンファレンスボード（米国）

■先行指標

製造業の週平均労働時間（Average Weekly Hours, Manufacturing）
失業保険週平均新規申請件数 （verage Weekly Initial Claims for Unemployment Insurance ）
消費財製造業新規受注 （Manufacturers' New Orders, Nondefense Capital Goods excluding Aircraft）
ISM 新規受注指数（ISM New Orders Index）
航空機以外の資本財（非防衛）の新規受注 （Manufacturer's New Orders, Nondefense Capital Goods excluding Aircraft）
新規個人住宅建築許可件数（Building Permits New Private Housing Units）
普通株株価 500 種（Stock Prics, 500Common Stocks）
先行信用指数（Leading Credit Index）
長短金利差 （Interest Rate Spreadl 10-year Treasury Bonds less Federal Funds）
景気への消費者平均期待値 （Average Consumer Expenctations for Business Confitions）

■一致指数

非農業雇用数（Employees on Non-agricaltual Payrolls）
社会保障給付などを引いた個人所得 （Personal Income Less Transfer Payments）
鉱工業生産（Industrial Production）
製造業・商業売上高（Manufacturing and Trade Sales）

出所：https://www.soumu.go.jp/main_sosiki/singi/toukei/nenpou/chousa/chousa_1503/chousa_1503_5b.pdf

第2章

GDP (Gross Domestic Product)
国内総生産

2—1　GDPは経済指標の基本中の基本

ここからは経済指標を一つひとつ、順番に細かく見ていくことにしましょう。まずは経済指標の基本中の基本であるGDP（国内総生産／Gross Domestic Product）から見ていきます。

「米国GDP成長率：第●四半期は前期比年率□%、個人消費が牽引」などと報じられるのを見たことがあるかもしれません。もちろん米国だけではなく日本をはじめ各国が発表しており、国の経済規模や構造、さらにその変動から経済状況を把握するための指標のひとつであると言えるでしょう。

米国GDPは商務省が集計し、四半期ごとに発表します。各四半期の翌月（1—3月期であれば4月）の最終木曜日に「速報値」、その翌月に「改定値」、さらに1カ月後に「確定値」が発表されます。最終木曜日が月末と重なるときには、前日の水曜日の発表となります。

GDPは国内総生産という名前がついているとおり、その国がモノ（財）やサービスを、どれくらい作り出したのかを知るための指標です。では、形のある製品であればまだ分かりますが、形のないサービスなどは、それを作り出したことをどのようにして調べることができるのでしょうか。

実際には作り出したものやサービスを追いかけるのではなく、モノやサービスに対してどれだけのお金が支払われたのかを基に数字をはじき出しています。そういう点では国内総生産という

名称	国内総生産（GDP）
発表機関	商務省（Department of Commerce）
発表時期	四半期ごとに３回に分けて発表 ・速報値　1、4、7、10 月 ・改定値　2、5、8、11 月 ・確定値　3、6、9、12 月
概要	統計期間内に作り出されたモノやサービスの付加価値の総額。名目 GDP（実際に取引されている価格に基づいて算出）と実質 GDP（物価変動要因を排除して算出）がある。
特徴	米国経済の景気動向を計る最重要経済指標

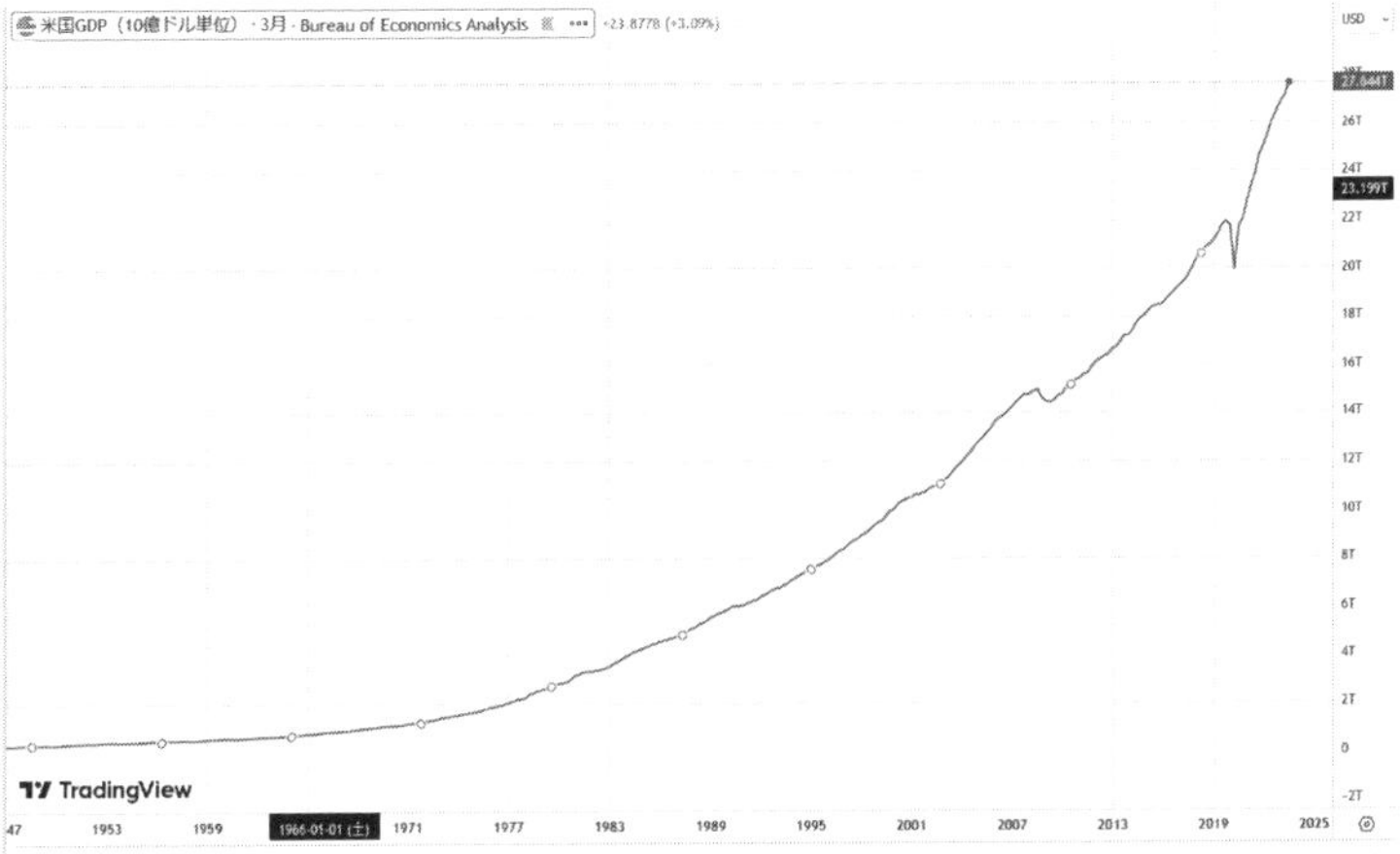

出所：TradingView（https://jp.tradingview.com）

よりも、国内総消費、あるいは国内総支出と言ったほうが正しいのかもしれませんね。

またその支出額の算定方法に関しては、実際の金額をそのまま使う方法と、物価変動の影響を排除した金額を使う方法があります。前者を「名目ＧＤＰ(Nominal Gross Domestic Product)」と言い、これはインフレが進めば金額が大きくなります。例えば一年間に物価が20％上昇すれば、名目ＧＤＰはたとえ経済がまったく成長していなくても20％増加することになります。

一方で「実質ＧＤＰ(Real Gross Domestic Product)」はこうした物価の影響を排除した金額(Chained Dollars)を使って計算するので、経済が実際にどの程度成長したのかを知ることができます。米国では基本的に、実質ＧＤＰが使われています。

2―2 ウェブサイトからＧＤＰのデータの取得

ＧＤＰに関するデータは、米商務省のウェブサイトから入手することができます。サイトに行くと、トップページ中段に「Current Release」という項目があり、そこから最新の情報を様々な形態で受け取ることができます。

「Full Release & Table」というリンクをクリックすれば、簡単な解説と詳細データが載ったレポートが表示されます。ＰＤＦファイルでダウンロードできますので、詳細を知りたい方はまず

■米商務省サイト

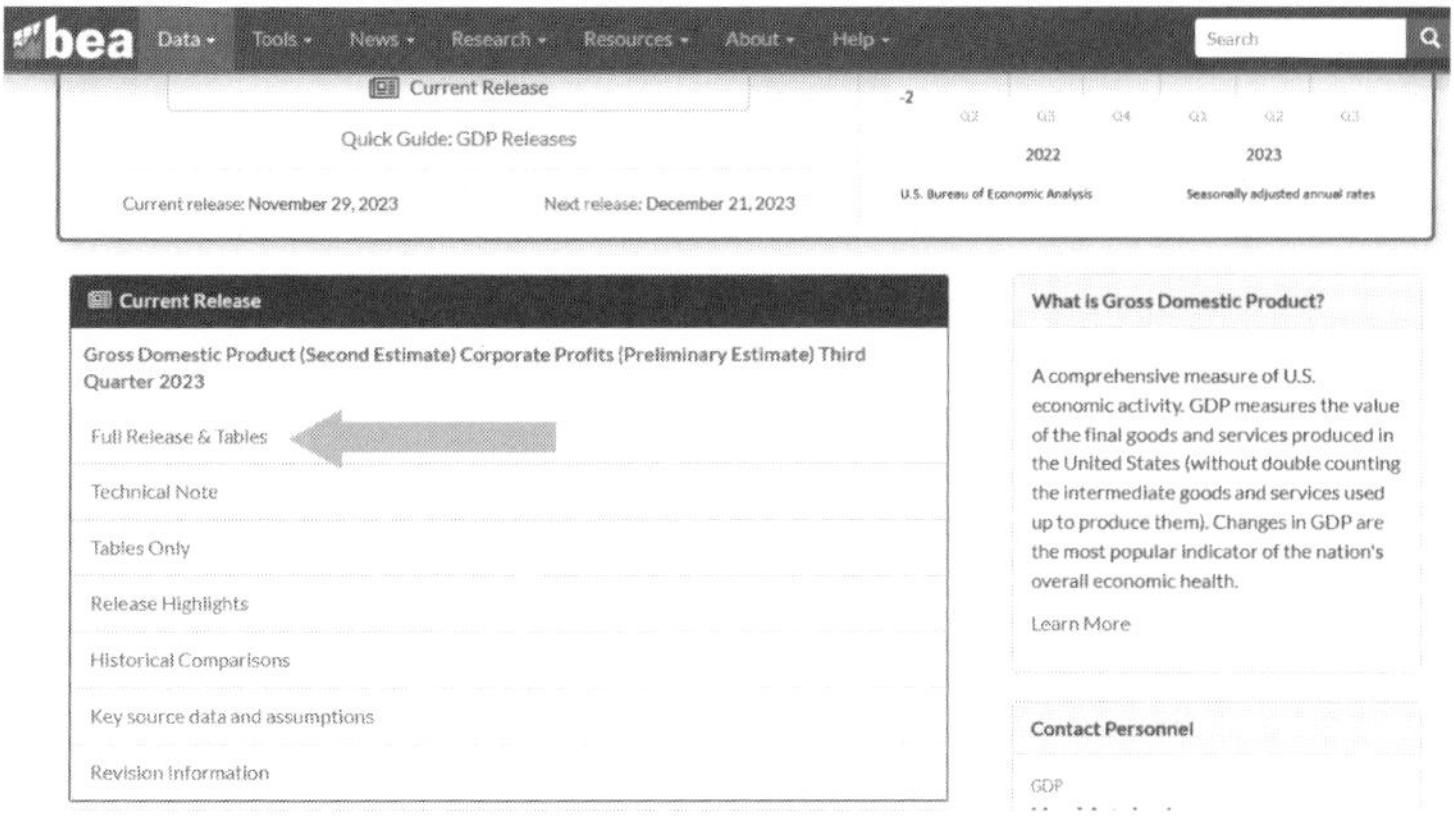

出所：https://www.bea.gov/data/gdp/gross-domestic-product

はそれを見ればよいでしょう。レポートの最初の数ページは解説で、その後に用語の説明などが載っています。そして最後に項目ごとの数字データが表として掲載されています。

この資料にはＧＤＰの総額だけでなく、経済活動を構成する個人消費や設備投資などが記載されています。内容を細かく分析したければ、やはりこのデータを見る必要があるでしょう。データベースは英語版のみなので不安かもしれませんが、記載内容に慣れてしまえば見るべき数字は分かると思います。

ＰＤＦに記された表データは「Current Release」のなかの「Tables Only」リンクをクリックすれば、エクセルファイルでダウンロードすることもできます。ですがデータテーブルは10シート以上に及んでいますので、それらを全部見ていると日が暮れてしまいます。チェックするのは、最初の４シートで十分でしょう。

■ GDP データ　Table1

Table 1. Real Gross Domestic Product and Related Measures: Percent Change from Preceding Period

Line					Seasonally adjusted at annual rates																Line
		2020	2021	2022	2019	2020				2021				2022				2023			
					Q4	Q1	Q2	Q3	Q4	Q1	Q2	Q3	Q4	Q1	Q2	Q3	Q4	Q1	Q2[r]	Q3[r]	
1	**Gross domestic product (GDP)**	**-2.2**	**5.8**	**1.9**	**2.6**	**-5.3**	**-28.0**	**34.8**	**4.2**	**5.2**	**6.2**	**3.3**	**7.0**	**-2.0**	**-0.6**	**2.7**	**2.6**	**2.2**	**2.1**	**5.2**	1
2	**Personal consumption expenditures**	**-2.5**	**8.4**	**2.5**	**2.6**	**-6.4**	**-30.2**	**40.5**	**5.6**	**8.9**	**13.6**	**2.8**	**4.0**	**0.0**	**2.0**	**1.6**	**1.2**	**3.8**	**0.8**	**3.6**	2
3	Goods	4.9	11.3	0.3	1.9	-2.1	-8.6	51.7	3.2	16.5	14.7	-8.5	5.6	-1.2	-0.3	-0.7	0.0	5.1	0.5	4.7	3
4	Durable goods	8.0	16.7	-0.3	5.8	-16.6	-0.2	100.7	5.7	28.4	14.3	-23.1	11.1	1.5	-0.9	0.9	-1.0	14.0	-0.3	6.8	4
5	Nondurable goods	3.3	8.5	0.6	0.0	6.1	-12.5	30.8	1.8	10.1	14.8	1.1	2.6	-2.7	0.0	-1.6	0.5	0.5	0.9	3.5	5
6	Services	-5.9	6.9	3.7	2.9	-8.4	-38.7	35.1	6.8	5.1	13.0	9.3	3.2	0.6	3.2	2.8	1.8	3.1	1.0	3.0	6
7	**Gross private domestic investment**	**-4.7**	**8.7**	**4.8**	**-4.6**	**-9.9**	**-46.4**	**98.9**	**13.2**	**-3.3**	**-5.4**	**16.1**	**27.9**	**6.2**	**-10.6**	**-7.6**	**3.4**	**-9.0**	**5.2**	**10.5**	7
8	Fixed investment	-2.1	7.1	1.3	-1.0	-3.3	-28.2	28.3	15.2	9.3	5.9	-1.6	1.9	7.2	-0.2	-4.3	-5.4	3.1	5.2	2.4	8
9	Nonresidential	-4.7	5.9	5.2	-1.6	-7.7	-28.6	18.3	10.5	8.9	9.7	-1.3	2.7	10.7	5.3	4.7	1.7	5.7	7.4	1.3	9
10	Structures	-9.5	-3.2	-2.1	-5.1	-5.2	-40.0	-8.9	1.5	7.8	1.0	-4.1	-7.7	-1.2	-0.5	-1.3	6.5	30.3	16.1	6.9	10
11	Equipment	-10.1	6.4	5.2	-9.2	-20.5	-38.0	50.8	15.6	2.0	10.5	-8.0	1.9	16.8	4.9	5.6	-5.0	-4.1	7.7	-3.5	11
12	Intellectual property products	4.5	10.4	9.1	10.2	6.2	-9.5	7.9	10.4	16.9	13.6	7.1	9.1	11.4	8.7	7.1	6.1	3.8	2.7	2.8	12
13	Residential	7.2	10.7	-9.0	1.0	14.1	-26.7	66.1	30.1	9.8	-4.4	-2.7	-0.5	-1.8	-14.1	-26.4	-24.9	-5.3	-2.2	6.2	13
14	Change in private inventories	....	....	....	....	....	....	....	....	....	....	....	....	....	....	....	....	....	....	....	14
15	**Net exports of goods and services**	....	....	....	....	....	....	....	....	....	....	....	....	....	....	....	....	....	....	....	15
16	Exports	-13.1	6.3	7.0	1.4	-15.4	-61.5	62.0	25.8	0.9	2.0	1.5	24.2	-4.6	10.6	16.2	-3.5	6.8	-9.3	6.0	16
17	Goods	-10.0	7.6	5.8	1.3	-4.3	-66.9	106.6	27.5	-0.2	-0.5	-1.8	26.9	-8.8	9.2	21.5	-6.3	12.0	-16.0	7.7	17
18	Services	-18.7	3.8	9.6	1.5	-33.1	-49.4	2.7	22.0	2.7	7.3	8.9	18.5	5.4	13.9	4.9	3.1	-3.5	6.2	2.7	18
19	Imports	-9.0	14.5	8.6	-7.5	-13.0	-53.6	88.6	32.0	8.0	7.7	8.5	20.6	14.7	4.1	-4.8	-4.3	1.3	-7.6	5.2	19
20	Goods	-5.9	14.6	6.8	-8.9	-9.5	-49.2	104.5	30.8	8.7	4.1	1.5	21.5	14.5	2.1	-7.3	-4.4	1.9	-6.5	6.0	20
21	Services	-21.9	13.9	17.5	-1.5	-26.4	-69.3	25.1	38.2	4.1	28.9	50.8	16.6	15.6	14.2	8.1	-3.9	-1.2	-12.2	1.9	21
22	**Government consumption expenditures and gross investment**	**3.2**	**-0.3**	**-0.9**	**2.6**	**4.4**	**8.6**	**-6.1**	**-1.9**	**5.7**	**-4.3**	**-1.5**	**-0.3**	**-2.9**	**-1.9**	**2.9**	**5.3**	**4.8**	**3.3**	**5.5**	22
23	Federal	6.1	1.4	-2.8	1.0	5.2	31.8	-12.3	-1.9	18.1	-8.9	-6.8	2.1	-6.9	-3.9	1.2	9.8	5.2	1.1	7.0	23
24	National defense	2.8	-1.9	-2.8	2.3	3.9	0.9	-0.4	8.7	-7.1	-4.7	-3.2	-4.8	-6.9	0.9	-0.3	7.7	1.9	2.3	8.2	24
25	Nondefense	10.9	5.9	-2.9	-1.0	7.1	90.1	-25.8	-15.1	63.4	-13.9	-11.4	11.8	-6.9	-9.8	3.3	12.6	9.5	-0.4	5.5	25
26	State and local	1.4	-1.3	0.2	3.5	4.0	-3.6	-2.0	-1.9	-1.3	-1.4	2.0	-1.6	-0.4	-0.8	3.8	2.8	4.6	4.7	4.6	26
	Addenda:																				
27	Gross domestic income (GDI)[1]	-2.3	6.1	2.1	3.2	-2.4	-30.5	28.9	15.3	3.1	4.6	3.6	6.2	0.5	0.0	2.7	-3.0	0.5	0.5	1.5	27
28	Average of GDP and GDI	-2.3	6.0	2.0	2.9	-3.9	-29.3	31.8	9.6	4.2	5.4	3.4	6.6	-0.8	-0.3	2.7	-0.3	1.4	1.3	3.3	28
29	Final sales of domestic product	-1.7	5.5	1.3	3.3	-4.2	-24.4	25.1	4.5	7.6	8.3	0.3	2.6	-1.9	1.5	3.4	1.0	4.6	2.1	3.7	29
30	Gross domestic purchases	-1.9	6.9	2.3	1.3	-5.2	-27.5	38.1	5.5	6.1	6.9	4.2	7.1	0.6	-1.1	0.1	2.2	1.6	2.0	5.1	30
31	Final sales to domestic purchasers	-1.5	6.6	1.7	2.0	-4.1	-23.9	28.3	5.8	8.4	8.9	1.3	2.9	0.7	0.9	0.7	0.7	3.8	2.0	3.7	31
32	Final sales to private domestic purchasers	-2.4	8.1	2.3	1.8	-5.8	-29.8	37.9	7.5	8.9	11.9	1.9	3.6	1.5	1.5	0.3	-0.2	3.6	1.7	3.3	32
33	Gross national product (GNP)	-2.5	5.6	1.9	2.2	-5.2	-29.0	35.3	3.7	5.9	5.0	3.1	7.1	-2.4	0.2	2.4	2.4	1.8	2.3	5.0	33
34	Disposable personal income	6.4	3.1	-5.9	2.3	2.4	45.8	-13.3	-7.6	56.1	-27.6	-5.2	-5.7	-9.8	-1.4	3.6	2.2	10.8	3.3	0.1	34
	Current-dollar measures:																				
35	GDP	-0.9	10.7	9.1	3.9	-3.5	-29.2	39.7	7.1	10.9	12.8	9.5	14.6	6.2	8.5	7.2	6.5	6.3	3.8	8.9	35
36	GDI	-1.0	11.0	9.3	4.5	-0.6	-31.6	33.5	18.6	8.6	11.1	9.9	13.8	8.9	9.1	7.3	0.7	4.5	2.1	5.1	36
37	Average of GDP and GDI	-1.0	10.8	9.2	4.2	-2.1	-30.4	36.6	12.7	9.7	12.0	9.7	14.2	7.5	8.8	7.2	3.6	5.4	3.0	7.0	37
38	Final sales of domestic product	-0.4	10.4	8.5	4.7	-2.5	-25.3	29.4	7.4	13.4	15.1	6.6	9.9	6.4	10.8	7.9	5.0	8.8	3.9	7.4	38
39	Gross domestic purchases	-0.7	11.4	9.3	2.5	-3.4	-28.4	42.7	8.1	11.1	13.1	10.1	14.8	8.7	7.1	4.9	6.1	5.3	3.4	8.2	39
40	Final sales to domestic purchasers	-0.2	11.2	8.7	3.3	-2.4	-24.6	32.4	8.4	13.6	15.3	7.3	10.2	8.9	9.3	5.5	4.6	7.7	3.4	6.8	40
41	Final sales to private domestic purchasers	-1.3	12.5	9.2	3.1	-4.5	-30.6	42.1	9.8	13.7	18.4	8.0	11.0	9.7	9.3	5.4	3.8	8.0	3.7	6.0	41
42	GNP	-1.2	10.4	9.0	3.5	-3.3	-30.1	40.2	6.6	11.5	11.5	9.3	14.7	5.8	9.3	7.0	6.4	5.8	4.0	8.7	42
43	Disposable personal income	7.5	7.4	0.2	3.9	3.7	43.2	-10.4	-5.8	63.5	-23.1	0.1	0.7	-2.9	5.7	8.5	6.4	15.5	5.8	2.9	43

r Revised. Revisions include changes to series affected by the incorporation of revised wage and salary estimates for the second quarter of 2023.

1. Gross domestic income deflated by the implicit price deflator for gross domestic product.

Source: U.S. Bureau of Economic Analysis

出所：https://www.bea.gov/data/gdp/gross-domestic-product

まずTable1は、それぞれの項目の前期比がパーセンテージで記されています。左側の３列は年間を通じてのＧＤＰの変化、その右側には四半期毎の変化が記されており、最新の四半期は一番右側にあります。直近年度の状況が四半期（Quarter）ごとに表示されています。Ｑ１は１－３月期、Ｑ２は４－６月期になります。Ｑ２ｒのように右上にｒが小さくついているのは、前回の発表時から修正があったことを表しています。

ここで気を付けなければならないのは、四半期での変化は特別な記載がない限りは「年率（Annual Rate）」で示されていることです。四半期で「前期から２・０％の増加」となったのであれば、年率では８・２％の増加となります。

どういうことかと言うと、「前期から２・０％の増加」とは前期を１とすれば今期は１・０２となります。１年は４四半期分あるので年率に直すために、この１・０２を４乗（1.02^4）します。すると１・０８２となりますので１を引いた０・０８２が増加分、それをパーセンテージにした８・２％が年率換算となります。ちなみに「月に２・０％」の伸びであれば、年率の計算は12乗すればよく、１・０２の12乗で26・８％の増加になります。

Table2は「寄与度（Contributions）」で、その項目がＧＤＰの変化にどの程度の割合で影響したのかが記されています。これについては、この章の最後で改めて説明することにします。

Table3には、項目ごとの実際の金額が記されています。この数字からも、Table1で示されている前期からの変化を計算することができます。Table1の数字はパーセンテージで小数点以下

■ Table3

November 29, 2023

Table 3. Gross Domestic Product: Level and Change from Preceding Period--Continues

Line		Billions of dollars						Billions of chained (2017) dollars									Line
		2022	Seasonally adjusted at annual rates					2022	Seasonally adjusted at annual rates					Change from preceding period			
			2022		2023				2022		2023			2022	2023		
			Q3	Q4	Q1	Q2r	Q3r		Q3	Q4	Q1	Q2r	Q3r		Q2r	Q3r	
1	Gross domestic product (GDP)	25,744.1	25,994.6	26,408.4	26,813.6	27,063.0	27,644.5	21,822.0	21,851.1	21,990.0	22,112.3	22,225.4	22,506.4	414.3	113.0	281.0	1
2	Personal consumption expenditures	17,511.7	17,684.2	17,917.0	18,269.6	18,419.0	18,711.6	15,090.8	15,127.4	15,171.4	15,312.9	15,343.6	15,479.5	372.6	30.7	136.0	2
3	Goods	5,997.0	6,046.8	6,047.6	6,133.8	6,144.7	6,228.8	5,281.5	5,275.7	5,275.2	5,341.0	5,347.3	5,409.0	15.6	6.3	61.7	3
4	Durable goods	2,128.9	2,143.1	2,129.0	2,194.9	2,193.6	2,205.1	1,960.0	1,962.3	1,957.5	2,022.5	2,020.9	2,054.5	-4.9	-1.7	33.6	4
5	Motor vehicles and parts	730.8	728.2	733.9	776.2	772.7	765.2	572.6	566.5	572.5	614.1	599.6	598.3	-40.8	-14.5	-1.3	5
6	Furnishings and durable household equipment	477.4	482.2	478.0	483.0	475.4	479.0	413.0	413.0	411.8	413.6	413.6	419.3	-11.3	0.0	5.8	6
7	Recreational goods and vehicles	655.5	664.9	653.0	666.7	676.4	689.5	724.8	733.6	727.7	744.5	764.5	794.7	50.8	20.0	30.3	7
8	Other durable goods	265.2	267.9	264.1	268.8	269.1	271.5	277.8	280.5	274.1	274.8	273.7	278.6	11.3	-1.1	4.9	8
9	Nondurable goods	3,868.1	3,903.7	3,918.6	3,939.0	3,951.1	4,023.6	3,327.5	3,319.7	3,323.7	3,327.8	3,335.4	3,364.5	20.0	7.7	29.1	9
10	Food and beverages purchased for off-premises consumption	1,393.5	1,409.2	1,428.9	1,430.6	1,434.1	1,448.1	1,167.8	1,158.8	1,155.0	1,145.8	1,148.5	1,154.1	-22.7	2.8	5.6	10
11	Clothing and footwear	500.7	505.9	506.6	515.0	511.4	521.4	497.0	499.4	500.3	501.9	492.7	500.9	8.5	-9.2	8.2	11
12	Gasoline and other energy goods	510.1	509.0	485.5	465.3	456.7	479.4	311.1	309.3	310.6	313.0	319.8	315.8	0.0	6.8	-4.0	12
13	Other nondurable goods	1,463.8	1,479.5	1,497.7	1,528.0	1,549.0	1,574.8	1,360.1	1,361.8	1,367.5	1,377.4	1,382.0	1,404.4	37.8	4.7	22.4	13
14	Services	11,514.7	11,637.4	11,869.4	12,135.7	12,274.4	12,482.8	9,836.1	9,878.2	9,922.3	9,998.9	10,023.1	10,098.6	352.7	24.2	75.5	14
15	Household consumption																

第1位までしか示されていませんが、私はもっと細かく小数点以下第2位まで知りたいのでTable3から直接計算しています。例えば、前期比で1・04％の増加と0・96％の増加はTable1では、どちらも1・0％の増加と表示されてしまいます。ですが、実際には両者にはかなりの差があるのです。

Table4には物価に関する数字が記されています。こちらも見逃すことはできませんので、この章の後のほうで詳しく説明します。

2―3　GDPには、経済指標の全てが詰まっている

GDPは経済指標の総合商社あるいはスーパーマーケットと呼べるものです。その国の経済を見るうえでの重要なデータの全てが詰まっているといっても過言ではあ

りません。その国の経済が好調なのかスランプ気味なのか、大きな流れはこれでつかむことができます。

一方で難点を挙げれば、扱う項目が多いために四半期に一度しか発表がないことと、データの集計や発表が遅くなることです。速報値ではまだ十分なデータが揃っていないため、いくつかの項目は実際に集計したデータではなく、過去のデータの推移から導き出した推定値を使って数字をはじき出しています。

時間が経つにつれてデータも揃ってきますので、それを受けて全体を調整していくことになるのですが、特に速報値から改定値にかけては、数字が大幅に修正されることも珍しくありません。よって、相場の先を読むための指標ではなく、あくまでも全体の大きな流れをつかむための指標なのだと理解しておいてください。

では次に、数多くあるGDPの項目を一つひとつ見ていくことにしましょう。

2－4　個人消費は経済の60%以上を占める、景気の原動力

GDPの項目には個人消費、設備投資、住宅投資、在庫投資、政府支出、純輸出などがあります。まずはGDPの中で一番金額が多い「個人消費(Personal Consumption Expenditures)」から

見ていきましょう。

個人消費はＧＤＰ全体の６割以上を占める、まさに景気の原動力と言えるものです。大きく分けて「モノ（Goods）」と「サービス」の二つから成り立っていますが、まずはモノのほうから見ていきます。

■モノ（Goods）

モノはさらに「耐久財」と「非耐久財」に分けることができます。

・耐久財（Durable Goods）

耐久財は、一度買うとある程度の期間使い続けることができるもの。車や家具、電化製品などがこれに当てはまるでしょう。耐久財は金額も大きいですし、一度買うとその後かなりの期間買い替える必要も生じないため、個人レベルで見れば購入のパターンに大きな波が生じることになります。ですが全ての人が同じタイミングで耐久財を購入することはあり得ませんので、全体で見ればこの点は特に気にする必要はないでしょう。

一方で単価が大きいだけに、やはりある程度消費者に余裕がある――景気や雇用の先行きに明るさがある――ときに購入が増える傾向はあると思います。財布の中身に余裕がないときは、やはり新車の購入や新しい電化製品の購入は控え、今あるものを長く使い続けようとするでしょう。

よって耐久財の消費は、景気動向に左右されやすいと言えます。

・非耐久財（Nondurable Goods）

非耐久財は、基本的に消費すればなくなってしまうもの、定期的に購入をしなければならないものです。食料品や衣服、ガソリンなどのエネルギーがこれに当てはまります。生活必需品でもあるので、消費のパターンは比較的景気の変動も影響を受けないものと考えてよいでしょう。

■サービス（Services）

サービスへの消費はモノへの消費よりも大きく、大体2倍くらい。具体的には家賃や光熱費などの住居費、医療関連の支出、交通費、レクリエーションや外食のための支出、健康保険や生命保険などへの支出が挙げられます。

サービスへの支出というと外食や遊興費など贅沢品への支出というイメージがあるかもしれませんが、実際には生活における経費（必需品への支出）がその大半を占めています。

個人消費の多くはサービスに向けられており、それだけにサービス業が活況を呈しているかどうかは、景気の動向に大きな影響を与えていると言えると思います。サービスへの支出が伸び悩むときというのは、それだけ経済の先行きが厳しくなっていると考えることができるでしょう。

2－5　設備投資は景気動向に影響されやすい、経済の風見鶏

次に、「国内投資（Gross Private Domestic Investment）」の項目を見てみましょう。大きく分けて「設備投資」と「在庫の変化」の二つに分かれています。

■設備投資（Fixed Investment）

国内投資の中で一番金額が大きいのが、設備投資です。これは主に企業の消費動向を表したものです。企業では、個人のように食料品などの非耐久財に多くを消費することはなく、中心となるのは設備投資です。設備投資はさらに「住宅」と「非住宅」に分けることができます。

・住宅（Residential）

これは個人によるものと、企業によるものとの両方があります。個人の場合は実際に本人が住むための住宅購入と、住居の値上がり益や家賃収入を狙う投資目的の二つに分かれますが、企業の場合はほとんどが投資目的です。

住宅市場の動向はもちろん経済を動かす大きな要因のひとつですが、他の市場との関連性がそれほど強くないこともあり、それ自体が独立した経済指標、住宅関連指標として分析されることが多いと思います。

・非住宅（Nonresidential）

非住宅における設備投資はオフィスや倉庫などの「建造物（Structures）」と、実際にビジネスで使用する「機器（Equipment）」、そしてソフトウエアや研究開発といった「知的財産権（Intellectual Property Products）」への投資に分類されます。

経済成長を牽引するのは個人消費ですが、そこに提供されるモノやサービスを生み出しているのは企業です。企業がそれら生み出すのには、当然ながら事前の投資が必要となります。企業の設備投資なくしては、経済が発展することもありません。そうした意味では、景気の先行きを見るうえでは個人消費以上に重要な項目と言うことができるでしょう。

企業の設備投資は経済の発展にはなくてはならない。とはいえ、一方で企業は常に利益を上げ続けることを求められていますから、通常、利益の出ないものに投資をすることはありません。設備投資は企業の景況感に左右される部分が大きいのです。景気が良くなっているときには企業も積極的に投資を進めますが、景気が悪くなってくると一気に投資も控えられることになります。

景気の良さを追認する形で活発になるのが個人消費だとすれば、設備投資は景気の先行きを示唆するものだと考えておく必要があるでしょう。

2―6　在庫投資は予測が難しく、サプライズ要因となりやすい

国内投資の欄にはもうひとつ「在庫の変化（Change in private inventories）」という項目があります。在庫投資とも呼ばれますが、これは企業が抱えている在庫量の変化を示したものです。

企業は一般的に景気が良くなり受注が増えると予想すれば、在庫を積み増ししてそれに備えようとします。在庫の積み増しというのは卸売りの段階で生産は増加しますが、商品として売れたわけではないので、個人消費には反映されません。ですのでその分は、在庫投資の増加という形でＧＤＰに上乗せされることになります。

逆にこの先景気が悪くなると見れば、企業は在庫を減らそうとします。消費者の購入分が在庫の取り崩しだった場合、実際には生産量が増えたわけでもないのに個人消費は増加することになります。この分は在庫投資の減少という形でＧＤＰに反映され、個人消費の増加分を相殺することになるのです。

在庫の変化というのは「卸売在庫」、「企業在庫」という形で毎月単独でデータが発表されます。ただこの数字は、いわゆる棚卸しという作業が加わるのでデータの集計も遅れがちになりますし、実態が見えにくいために予想も難しく、それ故サプライズの原因になることが多いのです。普段はあまり注目されることのない経済指標ですが、サプライズの発生元という感覚をもって、常にチェックしておく必要があるでしょう。

2-7　貿易収支や政府支出にも十分な注意が必要

このほかの項目としては、「貿易収支」と「政府支出」があります。

・貿易収支（Net exports of goods and services）

輸出は米国が生産したモノやサービスを外国の人が買ってくれるわけですから、当然GDPの押し上げ要因になります。一方で輸入は米国の消費者が買ったモノやサービスのうち、外国で作られた分の合計ということになります。米国の消費者が購入したものでも、それが輸入によるものであれば米国内の生産が増えたことにはなりません。その分を調整するために、輸入額はGDPから差し引く必要があるのです。

貿易収支は輸出額がプラス、輸入額がマイナスに作用します。米国は基本的に貿易赤字の国、輸入が輸出を上回っているので、貿易収支の項目はGDPの押し下げ要因になると考えてよいでしょう。

・政府支出（Government consumption expenditures and gross investment）

政府支出は、個人消費でも企業の設備投資でも外国の消費者の購入分でもなく、米連邦政府(Federal)や地方政府(State and local)が購入したモノやサービスの合計です。政府支出が増えれば、それらはＧＤＰを押し上げることになります。

連邦支出は大きく分けて、「非防衛支出(Nondefense)」と「防衛支出(軍事費/National defense)」の二つになります。非防衛支出はさらに、日常的な支出とインフラへの公共投資に分けられます。地方政府の支出には防衛支出の項目はありません。このうち、インフラなどへの投資や防衛支出は金額も多く、また変動も激しいことが多いので、サプライズ要因として注意する必要があるでしょう。

2−8　ＧＤＰには、インフレ指標も含まれる

ＧＤＰでは、物価に関する指標も同時に発表されます。もちろん物価が直接的に経済成長を表すことはありません。ですが最初に説明したインフレ調整後の実質ＧＤＰを導き出すためには、まずその期間にインフレがどの程度進んだのかを算出する必要があるのです。

物価指標には多くの種類がありますが、市場が注目するのはＧＤＰデフレーター（Implicit Price Deflators）と個人消費価格指数（PCE：Personal Consumption Expenditures）の二つでしょう。ＧＤＰデフレーターは、インフレ調整を行うための基準となるものです。同じ物価指標である消費者物価指数（ＣＰＩ）や生産者物価指数（ＰＰＩ）とは異なり、ＧＤＰデフレーター

には資本財の価格や輸入品の価格変動が含まれます。ＧＤＰで算出される各項目を全て網羅した価格指数ということができるでしょう。

一方、個人消費価格指数（ＰＣＥ）は、個人が家庭で消費するモノやサービスの価格に特化した価格指数です。その点ではＣＰＩに近いということができますが、ＣＰＩが小売店での販売価格を基に算出されるのに対し、ＰＣＥは実際に消費者が支出した金額が基準となります。通常はＣＰＩよりも変動は穏やかですが、ＰＣＥが大きく上昇するときには、それだけ個人消費にも影響をおよぼしていると考えることができるのです。米国の中央銀行にあたる米連邦準備制度理事会（ＦＲＢ）が金融政策を決定するためのデータとして、このＰＣＥを重要視していることはよく知られており、市場もこのＰＣＥに対する注目度を高めています。ＰＣＥに関してはこの後、物価関連指標の章でより詳しく説明したいと思います。

2－9　同時に発表される、企業収益もしっかりと把握しておこう

ＧＤＰではもう一つ、企業収益（orporate Profits）も同時に発表されます。これはＧＤＰのように速報値、改定値、確定値の3回ではなく、速報値、確定値の2回のみの発表となります。ＧＤＰの速報値が発表される翌月のタイミングでの発表はなく、翌月の改定値の発表の際に速報

値が、その翌月の確定値発表の際に確定値が発表されます。また、10－12月期の分に関しては速報値の発表はなく、3月の終わりに確定値1回のみの発表となります。

企業収益はまさに米国企業がどの程度利益を叩き出しているのかを表していますから、その点では株価への影響も大きいとも言えますが、残念ながら発表のタイミングがかなり遅いので市場が注目することはほとんどありません。ただ企業がしっかりと利益を上げているのか、手元資金は潤沢にあるのかといった、経営状態を把握するための重要なデータであることは間違いありません。中長期的な見通しを立てるうえでは、参考にすべきだと思います。

注目すべき項目は、企業収益──在庫・資本磨耗分調整前（Profits before tax without inventory valuation and capital consumption adjustments）──や、そこから税金分を差し引いた税引後収益（Profits after tax）、キャッシュフロー（Net cash flow with inventory valuation adjustment）となるでしょう。この辺りは個別企業の財務分析の領域に入りますので、その方面の専門書にお任せしたいと思います。

❖アドバイス❖

ＧＤＰが他の経済指標と大きく違う点は、やはりデータの対象が四半期（３カ月）ごとであり、その間に2回も修正が行われるということでしょう。市場は翌月に発表される速報値には大きく反応しますが、一カ月後の改定値ではよほど大きな修正がなされない限り反応は鈍くなりますし、さらに一カ月後の確定値に至っては相場が大きく動くことはありません。

ＧＤＰが景気動向を分析するうえでの必要なデータを全て盛り込んでいる、一番重要な経済指標であることは間違いないのですが、データが３カ月毎にしか出てこないという点で、短期的なトレードを行ううえでは、案外使いにくいというのが実際のところです。ＧＤＰはあくまでも経済の大きな流れを把握するという視点で見るべきで、それを踏まえて他の経済指標を基に、投資の判断を下すのがよいでしょう。

ＧＤＰで私が一番注目するのは、やはり個人消費です。耐久財と非耐久財、サービスの三項目がそれぞれ前期からどのように変化したか、改定値であれば前月からどの程度の修正があったのかをしっかりとチェックします。また直近の個人消費支出や小売売上高のデータとも比較して、経済の流れが上向きか・下向きかの判断の参考にします。また個人消費は月ご

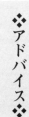

とのブレが大きいですが、長期的な視点に基づいて決断される企業の設備投資は中長期的な流れを見るうえでは重要だと考えます。

このほか、意外に影響力が大きいので注意が必要なのが、在庫投資の増減です。在庫の積み増しや取り崩しが進むときはGDP全体にもサプライズが出ることが多いと思いますが、あとで反動が出る可能性も高いのです。こうした傾向を見る際には、実際の増減よりも寄与率の変化を見たほうが分かりやすいですね。もちろん、インフレ指標となる個人消費価格指数（PCE）も、しっかりとチェックしておきましょう。

第3章

企業の経済活動を基にした経済指標

・製造業受注(Manufacturers' Shipments, Inventories, and Orders)

・企業景況感指数(PMI)

・労働生産性(Productivity)

・鉱工業生産指数(Industrial Production and Capacity Utilization)

3―1　企業サイドの経済指標は、景気動向を分析するうえで信頼度が高い

本章では、企業の経済活動を基にした経済指標を見ていきます。企業サイドの経済指標は、景気動向を分析するうえで信頼度が高いデータと言えるでしょう。

先のＧＤＰの章でも書いたように経済活動の60％以上を占めるのは個人消費ですが、個人の消費動向を把握して数値化するのは簡単なことではありません。全消費者が家計簿をしっかりとつけて、それを毎月当局に報告してくれるのであれば話は別ですが、そんなことはもちろん不可能です。その点、上場企業やある程度規模の大きい企業はしっかりと記録を残していますので、データの収集も比較的容易です。

データの速報性や正確性において、企業サイドの経済指標の右に出るものはないと思います。

3―2　製造業受注は景気の先行指標として注目度が高い

「製造業受注（Manufacturers' Shipments, Inventories, and Orders）」は、製造業の活況度を知るうえで極めて需要な経済指標です。

ＧＤＰと同じく米商務省が集計し、基本的に翌月の第４週目に耐久財のみの速報値が、その翌

名称	製造業受注 （Manufacturers' Shipments, Inventories, and Orders）
発表機関	商務省（Department of Commerce）
発表時期	速報値（耐久財）：対象月の翌月第4週 製造業全体：速報値発表の翌週
概要	新規受注、出荷、受注残、在庫など。製造業の景況感を示す指標
特徴	製造業の活況から経済の動向を計る先行指標

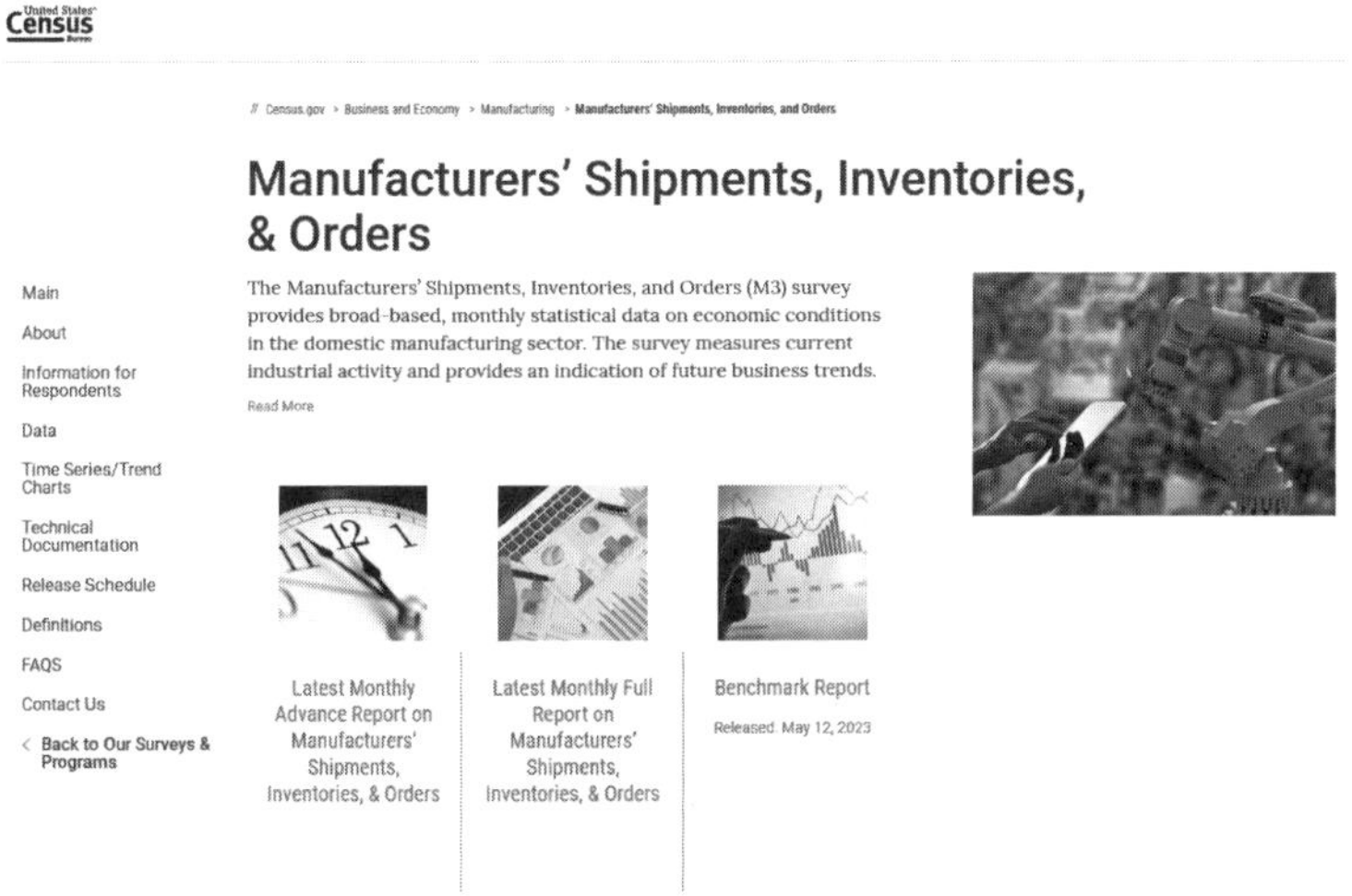

https://www.census.gov/manufacturing/m3/index.html

■ Table 1

Table 1. Durable Goods Manufacturers' Shipments and New Orders [1]

[Estimates are shown in millions of dollars and are based on data from the Manufacturers' Shipments, Inventories, and Orders Survey.]

Item	Seasonally Adjusted						Not Seasonally Adjusted					
	Monthly			Percent Change			Monthly			Year to Date		
	Oct 2023 [2]	Sep 2023 [r]	Aug 2023	Sep - Oct [2]	Aug - Sep [r]	Jul - Aug	Oct 2023 [2]	Sep 2023 [r]	Oct 2022	2023	2022	Percent Change 2023/2022
DURABLE GOODS												
Total:												
Shipments............................	280,356	282,763	284,490	-0.9	-0.6	0.5	285,376	295,777	279,967	2,821,525	2,723,022	3.6
New Orders[4]...........................	279,441	295,405	283,917	-5.4	4.0	-0.1	279,278	308,176	276,884	2,849,069	2,739,360	4.0
Excluding transportation:												
Shipments............................	191,981	192,329	192,096	-0.2	0.1	0.3	196,090	199,197	192,366	1,924,510	1,899,545	1.3
New Orders[4]...........................	187,373	187,354	187,062	0.0	0.2	0.4	188,149	191,758	184,106	1,874,009	1,861,889	0.7
Excluding defense:												

週に非耐久財を含めた製造業全体の数字が発表されます。日本語では「製造業受注」と訳されることが多いですが、実際には受注に加え、出荷や在庫の変化などの数字も発表されます。

新規の受注は、景気の先行指標として注目を集めることが多いデータです。第2章でも記しましたが、企業が何らかのビジネスの注文を受けないとその後の発展もないからです。製造業の企業が注文を受けて初めて、その原材料や部品を調達するために新たな需要が生じ、でき上がった製品を発送するためのロジスティクス（物流）を確保する必要が出てくるのです。

さらに、受注が増加して現在の人員では対応しきれないと経営者が判断すれば、新たな人員を確保すべく採用活動も活発になるでしょう。企業への受注があって、初めて経済が動きだすのです。

3-2-1　耐久財とは、償却期間の長い消費財

まずは速報で発表される、耐久剤の受注について細かく見ていくことにしましょう。「耐久財（Durable goods）」は、その製品の耐用期間が3年以上と定められています。つまり買ってすぐに消費して

しまうものではありません。

個人レベルで言えば電化製品（Appliances）や家具（Furniture）、自動車（Automobiles）などがそれにあたります。金額が張る大物としては航空機（Aircraft）などが挙げられますし、工場で使われる機械なども当然ながら使用期間が長いので耐久財にあたります。

なお工場の機械などそれを直接消費するのが目的ではなく、何か別のモノやサービスを作り出すための手段として使用されるものは、耐久財の中でも「資本財（Capital Goods）」に分類されます。

3-2-2　運輸関連や防衛関連を外したデータにも注目が必要

耐久財は家庭で使う電化製品から航空機まで対象が多岐に及んでいます。その中の運輸機器（Transpotation）は、航空機が含まれるために金額も大きく、まとまった受注があると全体を大きく押し上げる要因になってしまいます。また、防衛関連（Defence）は政府予算です。つまり民間の景気動向を正確に反映しているわけではありません。そのため、耐久財の受注を見る際には全体の増減だけでなく、この二つの項目を除いた数字――「運輸を除く（Ex-Trans）」と「防衛を除く（Ex-Defence）」――も同時に見る必要があります。

また資本財の受注、特に防衛を除いた資本財（Nondefense Capital Goods）やそこからさらに航空機を除いた資本財の受注は、企業の設備投資の活況度を反映するとされており、市場の注目度も高くなっています。

3-2-3 非耐久財の受注は、1週間遅れで発表される

耐久財の受注が発表された1週間後に、非耐久財の受注を加えた製造業全体の受注が発表されます。ですが多くを占める耐久財の数字が既に出ているため、全体の数字に注目が集まることはありません。それでも非耐久財の受注が事前予想と比べてどうだったか、耐久財の受注にどの程度の修正が見られたのかは、しっかりと押さえておく必要があるでしょう。

3-2-4 受注以外では、出荷や在庫のデータにも注目が必要

この製造業受注の発表時には、受注(New Orders)以外のデータも同時に発表されます。出荷(Shipments)、未完受注(Unfilled Orders)、在庫(Inventories)などがこれにあたります。

景気の先行性ではやはり受注を見るのが主ですが、受注された製品が出荷されなければ未完受注が増えますし、在庫の増減も景気のサイクルを把握するうえでは欠かせないデータです。特に出荷はGDPの算出に使われますから、GDPを事前に予想するためには、この数字を見ておく必要があるでしょう。出荷の数字を使ってGDPを予想する過程は複雑ですし、それは専門の経済アナリストに任せればよいと思いますが、彼らがどういった事前予想を立てるためにどのようなデータを使用しているのかは、大体のところを把握しておいたほうがよいと思います。

名称	企業景況感指数（PMI）
発表機関	経済調査機関や金融情報サービス会社など（本文参照）
発表時期	ー（本文参照）
概要	全米の製造業の購買担当役員にアンケート調査を実施し、その結果を基に作成する
特徴	速報性から、景気の方向性を示す先行指標と注目される

3－3　企業景況感指数は注目度が高く、市場の反応も大きい指標

続いて、市場の注目度が高く、サプライズが飛び出した際には比較的相場が大きく動くことが多い経済指標「企業景況感指数（ＰＭＩ）」を紹介しましょう。ＰＭＩは正式にはPurchasing Manager's Index（製造業購買担当者指数）と言い、製造業の物品購入を決定する権限を持つ部門のマネージャーを対象にしたアンケート調査の結果をまとめたものです。

この先景気が良くなると考えていれば支出が増加、悪くなると考えていれば減少することになります。

アンケートの項目は多岐にわたり、代表的なものは新規受注、生産、出荷、在庫、受注残、納期、雇用、労働時間、支払価格、受取価格、輸出、輸入、設備投資などがあります。これらがそれぞれ前月よりも「増加（改善）」「変化なし（横ばい）」「減少（悪化）」の三者択一の回答結果を集計し、それらを指数化したものになります。

指数は基本的にアンケートによる前月との比較なので、現在の経済活動状況がどの程度活発なのかが反映されるものではありません。足元の業績が非常に良かったとしても、それがやや悪化してきたのならば指数は下がりますし、現時点での業績が最悪でも、状況が上向いてくれば指数も上昇してきます。

3-3-1　総合指数だけでなく、サブ指数に注目が集まることも多い

上述の全ての質問項目をまとめ、企業の景況感がどのように変化したのかを表したものが、「総合指数」と呼ばれるものです。指数は50が中間値で、50を上回れば状況が良くなった、50を下回れば状況が悪くなったと判断されます。

調査機関によっては、中間値がゼロとなっているものもあります。この場合はプラスに振れれば前月より改善、マイナスなら悪化ということになります。

また総合指数とは別に、質問項目ごとのサブ指数も同時に発表されます。新規受注や出荷、雇用、価格指数などは注目度も高く、それに市場が大きく反応することもありますから注意が必要です。

以下に主なサブ指数の項目を説明しますが、調査機関によって項目は異なりますので、全ての指数がこうした項目を含んでいるわけではありません。

■代表的なサブ指数

・新規受注（New Order）：新規の受注が増加したか、減少したかを表す。先行指標として重要。
・生産（Production）：生産が増加したか、減少したかを表す。新規受注より遅れて変化する傾向がある。
・出荷（Delivery）：注文を受けてから出荷までの期間を表す。時間が短くなれば指数は低下、長くなれば上昇。注文が多いと普通出荷までの期間は長くなる。
・在庫（Inventory）：企業が抱えている在庫の量の変化を表す。この先受注が増えると見れば、企業は在庫を積み増す傾向がある。
・受注残（Backlog of Orders）：企業が既に注文を受けているもののうち、まだ出荷に至っていない分の増減を表す。受注残が増えることは注文の増加に生産が追いついていないことを意味する。生産能力や供給管理に問題あるとの見方もできるが、通常は将来の生産増につながるという点で景気は好調と受け止めることが多い。
・納期（Supplier Deliveries）：企業が受注を受けてから出荷するまでの期間が長くなったか、短くなったかを示す。通常、納期が長くなるのは注文が多くなるときなので、受注残と同様に景気拡大のサインとしてとらえられる。
・雇用（Employment）：雇用している従業員の数が増えたか減ったかを表す指数。注文が増加して人手不足に陥った場合や、この先景気がよくなると判断すれば企業は雇用を増やすと考えられる。

・労働時間（Employee Workweek）：労働者一人あたりの労働時間の増減を表す。労働時間が長くなるということは、労働力が足りていないことを意味するため、将来的に雇用が増える可能性が高いと見ることができる。

・支払価格（Price Paid）：企業が支払ったモノやサービスの価格が、上昇したか低下したかを示す指標。支払価格の上昇はコスト増加につながるため、インフレの先行指標と見ることができる。

・受取価格（Price Received）：企業が販売したモノやサービスの価格が、上昇したか低下したかを表す。支払価格と同様にインフレの先行指標と考えられる一方、受取価格の上昇は収入増加につながるため、企業業績が上向くとの見方もすることができる。

・輸出、輸入（Export, Import）：企業が輸出向けに受注した注文量や、仕入れや設備投資目的で輸入したモノの量が増えたか減ったかを示す指標。輸出入が増えるということは、それだけ経済が活発に回っているととらえることができる。

・設備投資（Capital Expendure）：企業が将来の業務拡張を見据えて、どの程度設備投資を行ったかを示す指標。設備投資の増加は将来のビジネスの拡大を意味する一方、景況感が悪化しているときには設備投資が控えられる傾向がある。

3-3-2　アンケート調査の結果とはいえ、先行指標としての役割は大きい

ＰＭＩはあくまでも企業の担当者に対するアンケート調査の結果をまとめたものであり、必ずしも実際の業績を反映するものではありません。回答は増加／横ばい／減少の三択で、どの程度増加したかといった部分までを把握することは不可能です。また指数は三択の答えの数を基に算出されるため、各企業の規模までは反映されません。

それでも景気の先行指標としての役割は、十分に果たしていると思います。それは、受注が増えたと回答した企業の数が減少したと答えた企業の数を上回るなら、製造業受注の数字はその後上向くことが多いからです。

支払い価格が上昇したと回答した企業が増加すれば、やはりその後に発表される物価関連指標は強めの数字が出る可能性が高いですし、雇用を増やしたという企業が多ければ、雇用関連指標に強気のサプライズを期待してもよいでしょう。景気全体や各項目で示される分野の方向性をいち早く知る手段としては、ＰＭＩに勝るものはないと考えます。

3-3-3　ＰＭＩは多くの調査機関が出しているが、見方は基本的に同じ

ＰＭＩは、多くの調査機関から発表されています。とはいえ発表の方式は似通っており、データの見方も基本的に同じと考えてよいでしょう。ここでは代表的なものを紹介します。まずは、民間の調査機関によるものです。

■PMI公表している主な民間機関

・ISM指数（ISM Report On Business）

https://www.ismworld.org/supply-management-news-and-reports/reports/ism-report-on-business/

ISM(Insutitute for Supply Management)という調査機関が発表している景況感指数で、数ある景況感指数の中でも一番注目度が高く、市場への影響も大きい。毎月第一営業日の米東部時間の10時に前月分の製造業の調査結果が、第三営業日にサービス業に対する調査結果が発表される。指数は50が中立で、50を上回ればビジネスや各項目が上向き、50を下回れば下向きと判断される。ただし50を下回ったからといって、直ちに景気が落ち込むというわけではない。過去に米経済がリセッション(景気後退)に陥った際には、ISM指数は40台前半あるいはそれ以下にまで下がっており、このあたりがリセッションの目安とされている。

・シカゴビジネス指標（Chicago Business Barometer）

https://chicago.ismworld.org/news-publications/reports/research-survey/

ISM-Chicagoという調査機関が発表する、シカゴ地区に限った製造業の景況感指数。かつてはシカゴPMIと呼ばれていた。毎月最終営業日の米東部時間9時45分に発表され、ISM指数よりも一日早いことから注目されることが多い指標（有料会員にはさらに5分早くデータが公開される)。指数はISM指数同様、50が中立となる。

・S&PグローバルPMI（S&P Global Flash US Composite PMI）

https://www.pmi.spglobal.com/

S&Pグローバルという調査機関が発表する景況感指数（以前はMarkItという調査機関が発表していたが、２０２２年にS&Pグローバル社に吸収合併された）。ISM同様、第一営業日に製造業、第三営業日にサービス業の景況感指数、製造業とサービス業を合わせた総合のPMIも発表される。発表時間はISMより少し早く、米東部時間の９時45分。

S&P+グローバルは米国だけでなく世界の主要国の景況感指数も発表している。また正式発表の一週間ほど前に、S&P Global PMI Flash という形で速報値を発表するのも特徴。これは集計がまだ完了していない段階で、推測を加える形での数字となる。指数は50が中立。ISM指数に比べると歴史も実績も乏しいため、市場の注目度はそれほど高くない。

次に、各地区の連邦準備銀行が発表する、製造業の景況感指数です。

・フィラデルフィア連銀指数（Manufacturing Business Outlook Survey）

https://www.philadelphiafed.org/surveys-and-data/regional-economic-analysis/manufacturing-business-outlook-survey

フィラデルフィア連銀が発表する製造業景況感指数で、同連銀の管轄内の製造業を対象にした調査で、毎月第三木曜日の米東部時間8時30分に発表される。１９６８年からの調査結果が残っており、連銀の景況感指数の中でも信頼度が高く、市場の注目も高い。指数はゼロが中立で、プラスならビジネスやその項目が拡大、マイナスなら縮小となる。

・ニューヨーク連銀指数（Empire State Manufacturing Survey）

https://www.newyorkfed.org/survey/empire/empiresurvey_overview

ニューヨーク連銀が発表する製造業の景況感指数で、基本的に毎月15日の米東部時間8時30分に発表される。２００１年7月から調査を開始しており歴史は比較的浅めだが、各地区連銀の中でも別格のニューヨーク連銀の調査であり、かつ企業景況感指数の中で発表が一番早いということもあり、市場の注目度も高くなっている。指数はフィラデルフィア連銀指数同様、ゼロが中立である。

・リッチモンド連銀指数（Fifth District Survey of Manufacturing Activity）

https://www.richmondfed.org/region_communities/regional_data_analysis/surveys/manufacturing

リッチモンド連銀が管轄する東海岸南部の州の製造業を対象に行っている景況感調査で、毎月第四火曜日の米東部時間10時に発表される。１９９３年からのデータが揃っているが、市場の注目度はそれほど高くない。指数はゼロが中立である。

3－4　注目度こそ高くないが、経済成長の鍵を握る指標「労働生産性」

「労働生産性(Labor Productivity)」は米労働省が集計する経済指標で、経済の効率性を見るうえで欠かすことのできないものです。四半期毎の発表で、翌々月の第一週に「速報値」が、その次の月の第一週に「改定値」が発表されます。

労働生産性は、労働者一人あたりが単位時間にどの程度の生産を行うことができたのかを指数化したものです。前期から年率で何パーセント上昇(低下)したのかという形で表します。

労働生産性は「生産量そのもの」、「労働者一人当たりに企業が支払った雇用コスト」、「労働時間」という三つの要素によって決定されます。生産性が上昇すれば、それだけ経済が効率よく回っていることを意味します。一方、企業の経営に無駄が多くなって効率が低下すれば、生産性も低下します。

基本的には生産性が上がった・下がっただけを見ておけばよいのですが、生産性が上がった場合でも、その要因が主に生産の増加によるものなのか、労働コストの低下や労働時間の減少によるものなのかは把握しておいたほうがよいでしょう。

3－4－1　労働生産性の低下は、FRBがもっとも警戒するシナリオのひとつ

労働生産性は発表が四半期毎で毎月ではないのに加え、発表のタイミングもやや遅めというこ

名称	労働生産性（Productivity）
発表機関	労働省（Department of Labor）
発表時期	四半期毎 速報値：翌々月の第１週 改定値：速報値の翌月の第１週
概要	労働者一人あたりが、単位時間にどの程度の生産を行うことができたかを指数化
特徴	一般に景気拡大期には上昇し、企業業績の拡大や賃金の上昇圧力からの個人消費の拡大につながるとみられている

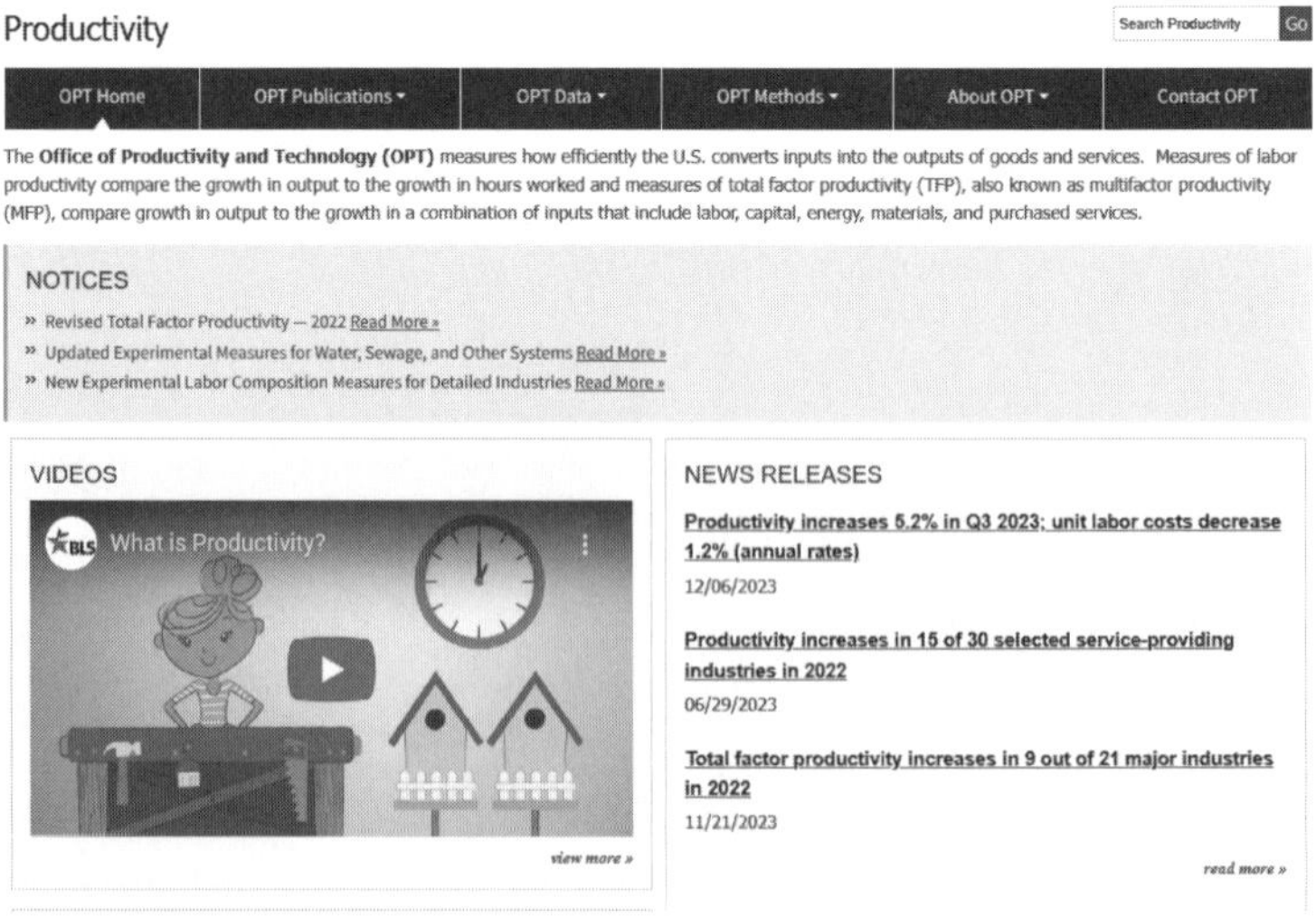

Productivity
Search Productivity
Go
OPT Home
OPT Publications
OPT Data
OPT Methods
About OPT
Contact OPT
The Office of Productivity and Technology (OPT) measures how efficiently the U.S. converts inputs into the outputs of goods and services. Measures of labor productivity compare the growth in output to the growth in hours worked and measures of total factor productivity (TFP), also known as multifactor productivity (MFP), compare growth in output to the growth in a combination of inputs that include labor, capital, energy, materials, and purchased services.
NOTICES
» Revised Total Factor Productivity — 2022 Read More »
» Updated Experimental Measures for Water, Sewage, and Other Systems Read More »
» New Experimental Labor Composition Measures for Detailed Industries Read More »
VIDEOS
What is Productivity?
view more »
NEWS RELEASES
Productivity increases 5.2% in Q3 2023; unit labor costs decrease 1.2% (annual rates)
12/06/2023
Productivity increases in 15 of 30 selected service-providing industries in 2022
06/29/2023
Total factor productivity increases in 9 out of 21 major industries in 2022
11/21/2023
read more »

出所：https://www.bls.gov/productivity/

ともあり、市場の注目度はそれほど高くはありません。ですが、この先経済がしっかりと成長していくのかを見るうえで非常に重要なものと言えます。

なぜなら基本的に労働生産性は、技術革新や企業の経営努力によって毎年それなりに上昇していくものです。にもかかわらず生産性が思ったほど上昇しない、あるいは低下するときというのは、何らかの問題で経済の効率が落ちていることを意味します。米国の金融政策を決定する米連邦制度準備理事会（ＦＲＢ）も、労働生産性には注目しています。生産性低下が続くときは、ＦＲＢも景気の先行きに対する警戒感を強めます。そこから、その結果とした金融緩和などの景気支援策を検討する可能性が高くなることも考えられるのです。

労働生産性は力強い上昇が見られているときよりも、生産性が低下し景気悪化の恐れが高くなったときに、市場で材料視されることのほうが多いと言えるかもしれません。

３-４-２　労働生産性を見るうえでの重要な項目

労働生産性は、２０１２年を１００としてそこからどの程度上がったのか・下がったのかを指数化して表示します。基準年は今のところ２０１２年ですが、時間が経てば後の年に変更されるでしょう。主な項目は労働生産性のほか「生産（Output）」、「労働時間（Hour Worked）」、「単位労働コスト（Unit Labor Cost）」などがあり、その中で市場が注目するのは労働生産性と単位労働コストの２点です。

労働生産性は経済がどの程度効率的に動いているのかを見る指標、単位労働コストは経営コストの大きい部分を締める労働コストの変化を示しています。前期からどの程度上昇(低下)したのかを、年率換算したパーセンテージで表されます。

前年比で2～3％の伸びになっていれば、経済はまずまず良好と判断してよいでしょう。経済が順調に拡大し、生産量が大きく伸びているときでも、それに伴って労働コストの上昇がきつくなると意外に生産性の伸びが鈍るときもあります。これは、将来的なインフレによって景気の回復が妨げられる兆候と受け取ることができるでしょう。

労働生産性は様々な要素をはらんでいるだけに、その変化を単純には評価することができません。ですが景気が絶好調なのに生産性が落ちているとき、景気が低迷している中でも生産性が上がってきているときなどは、次の新たな変化が起きる前触れの可能性もあるので注意が必要です。

3－5　鉱工業生産指数は景気の大きな流れを把握するのに役立つ

ＦＲＢが発表する「鉱工業生産指数(Industrial Production)」は、鉱工業の生産活動の活況度を表す指標です。同時に「設備稼働率(Capacity Utilization)」も発表されますが、こちらは企業が工場などの設備を、どの程度効率よく稼働させているのかを知る目安となります。毎月第三週、

名称	鉱工業生産指数 （Industrial Production and Capacity Utilization）
発表機関	米連邦制度理事会（FRB）
発表時期	月次（毎月第３週）に発表
概要	鉱工業部門の生産活動状況を指数化
特徴	月次発表なので速報性がある。セクターごとの分析も可能

Industrial Production and Capacity Utilization: Summary

Seasonally adjusted

Make Full Screen

Industrial production	2017=100						Percent change						
	2023						2023						Nov. '2
	June[r]	July[r]	Aug.[r]	Sept.[r]	Oct.[r]	Nov.[p]	June[r]	July[r]	Aug.[r]	Sept.[r]	Oct.[r]	Nov.[p]	Nov. '
Total index	102.3	103.2	103.2	103.3	102.4	102.7	-.6	.9	.0	.1	-.9	.2	
Previous estimates	102.3	103.3	103.3	103.4	102.7		-.6	.9	.0	.1	-.6		
Major market groups													
Final Products	100.6	101.8	101.9	101.5	100.8	101.0	-1.1	1.2	.1	-.4	-.8	.3	
Consumer goods	101.1	102.4	102.5	102.3	101.4	101.4	-1.6	1.3	.2	-.2	-.9	.1	
Business equipment	96.1	97.0	97.0	96.0	95.2	96.1	-.1	.9	.0	-1.1	-.8	.9	
Nonindustrial supplies	99.8	100.0	100.1	100.3	99.9	99.9	-.2	.2	.1	.2	-.4	.0	
Construction	101.2	101.1	100.4	101.2	100.6	100.6	-.5	-.1	-.8	.8	-.5	.0	
Materials	104.6	105.5	105.4	105.9	104.7	105.0	-.3	.9	-.2	.5	-1.2	.3	
Major industry groups													
Manufacturing (see note below)	99.1	99.5	99.5	99.6	98.8	99.2	-.7	.4	.0	.1	-.8	.3	
Previous estimates	99.1	99.5	99.5	99.7	99.0		-.7	.4	.0	.2	-.7		
Mining	119.1	120.0	119.2	120.2	118.8	119.2	.6	.7	-.7	.9	-1.1	.3	
Utilities	102.0	107.0	107.7	106.7	105.2	104.8	-1.6	4.8	.7	-.9	-1.4	-.4	

出所：https://www.federalreserve.gov/releases/g17/current/default.htm

15～18日の間あたりに発表されます。鉱工業生産指数は２０１７年を１００として、それよりもどの程度上昇・低下したかを指数化し、前月や前年からの変化をパーセンテージで表します。大きな流れでは大体前年比でＧＤＰと同程度の伸びになると見ておけばよいですが意外に月毎のブレが大きいため、短期的には大きく上がったり下がったりすることも多いのが特徴です。

製造業（Manufacturing）だけでなく、原油や天然ガス、石炭の生産といった鉱業（Mining）や電力などの公益（Utilities）の生産も指数に組み入れられていることが変動が激しくなる一因でしょう。そうした短期的な変動を除外して、３カ月平均や6カ月平均といった長い期間で見ていけば、生産指数と景気動向は連動して動くことが多く景気の大きな方向性を見極めるのに役立ちます。

鉱工業生産指数は、エネルギートレーダーの注目度が高い指標でもあります。鉱業や公益が含まれているため、エネルギー生産の動向を把握するのに役立ちますし、製造業の生産指数が上がれば、その分エネルギーの消費も増えることになるからです。

また設備稼働率も、景気の先行指数のひとつとして無視することはできません。通常は、70％台後半から80％台前半の間で推移しています。経営者が景気の先行きに自信を持ち、今後需要が増えると見れば稼働率を上げてきますし、景気が悪くなり需要も落ち込むと見れば、稼働率を落とすことになります。ただし稼働率はハリケーンなどの自然災害や大規模な停電などによって、工場や油田などの稼働が一時的に停止してしまった際には大きく下がることになりますので、その辺りもしっかりと把握したうえで数字を見る必要があるでしょう。

❖アドバイス❖

企業サイドの経済指標で市場の注目を集めるのは、何と言っても企業景況感指数です。その中でもＩＳＭの製造業、サービス業指数とフィラデルフィア連銀指数は影響力も高く、サプライズがあれば相場が大きく動くことが多いだけに、無視するわけにはいきません。

市場の反応の大きさから言えば、第5章で紹介する雇用統計と1、2を争う重要な経済指標です。また総合指数だけでなく、サブ指数もしっかりと押さえておきましょう。中でも先行性の強い新規受注と、インフレ動向を見極めるうえで重要な価格指数、雇用の先行きを知るための雇用指数は、データが発表されたらまず目を通しておくべきでしょう。

製造業の新規受注に関しては、特に速報値として発表される耐久財の受注は景気に対する先行性も強く、将来の景気動向を見るうえでは欠かせないデータなのですが、航空機などの大口の受注に振り回されることが多いことも頭に入れておくべきです。そのために、運輸を除く受注や防衛を除く受注なども同時に発表されるのですが、市場はやはりヘッドライン、全体の受注の増減に注目してしまうものです。

航空機の大口の受注によって受注全体は予想以上の大幅増となったものの、運輸を除くと予想を下回ったというような場合には十分な注意が必要です。発表直後には全体の受注増を好感する形で大きく買い進まれた相場が、買い一巡後には運輸を除いた受注の弱さに注目が移るにつれて売りに押し戻されるといったパターンも想定しておくとよいでしょう。

新規受注だけではなく、出荷がＧＤＰの算出に用いられることも忘れてはなりません。また企業の設備投資と密接な関係がある、防衛を除く資本財の受注や出荷にも、全体の受注同様に注目しておいたほうがよいと思います。

労働生産性については、市場の注目度はかなり低くなりますが、個人的にはかなり重視している指標です。四半期毎にしか発表されないという難点はありますが、中長期的な景気動向を見るうえでの信頼性は高いと思うからです。労働生産性が数四半期に渡って順調に上昇しているときは、景気の先行きに対しても楽観的な見方をしても問題はないでしょう。

第4章

個人の消費活動を基にした経済指標

・小売売上高（Monthly Retail Sales）

・消費者信頼感指数（The Consumer Confidence Survey）

・ミシガン大消費者指数（Index of Consumer Sentiment）

・個人所得・個人消費支出（Personal Income and Outlays）

先の章で個人消費はGDPの6割以上を占めるとお伝えしました。つまり米国の景気動向を判断するうえで、それらは最も重要なデータなのです。本章では個人の消費動向を深掘りする経済指標を紹介していきます。

個人の消費行動は企業の経済活動と異なり、その時々の状況によってブレが生じやすいこと、個人から直接情報を入手することは不可能なことなどから、そのデータがどこまで正確に個人の消費活動を反映しているかは注意が必要です。なので指標を分析するうえで注意しておく点はいくつかありますが、注目に値する経済指標が多いのは間違いありません。

4－1　小売売上高は、個人の消費動向を見るうえでの重要な指標

「小売売上高(Monthly Retail Sales)」はその名の通り、小売業の売上高を集計したデータです。調査は小売業の企業に対して行うのですが、彼らの顧客はほとんどが個人の消費者なので、売上げの動向を見ていれば、個人の消費活動が活発かどうかを窺い知ることができます。この指標は、米商務省が集計し、翌月の半ばに発表されます。

景気や雇用が上向きで、消費者が経済の先行きに対して楽観的な見通しを強めれば、その分買い物に多くのお金を使うようになります。反対に景気が悪化し雇用の不透明感が強まれば、消費

名称	小売売上高（Monthly Retail Sales）
発表機関	商務省（Department of Commerce）
発表時期	月次（毎月中旬）
概要	米国内の小売業・サービス業の売上高を集計したもので、個人消費の動向を表している
特徴	変動が激しい自動車を除いたコア部分の注目度が高い

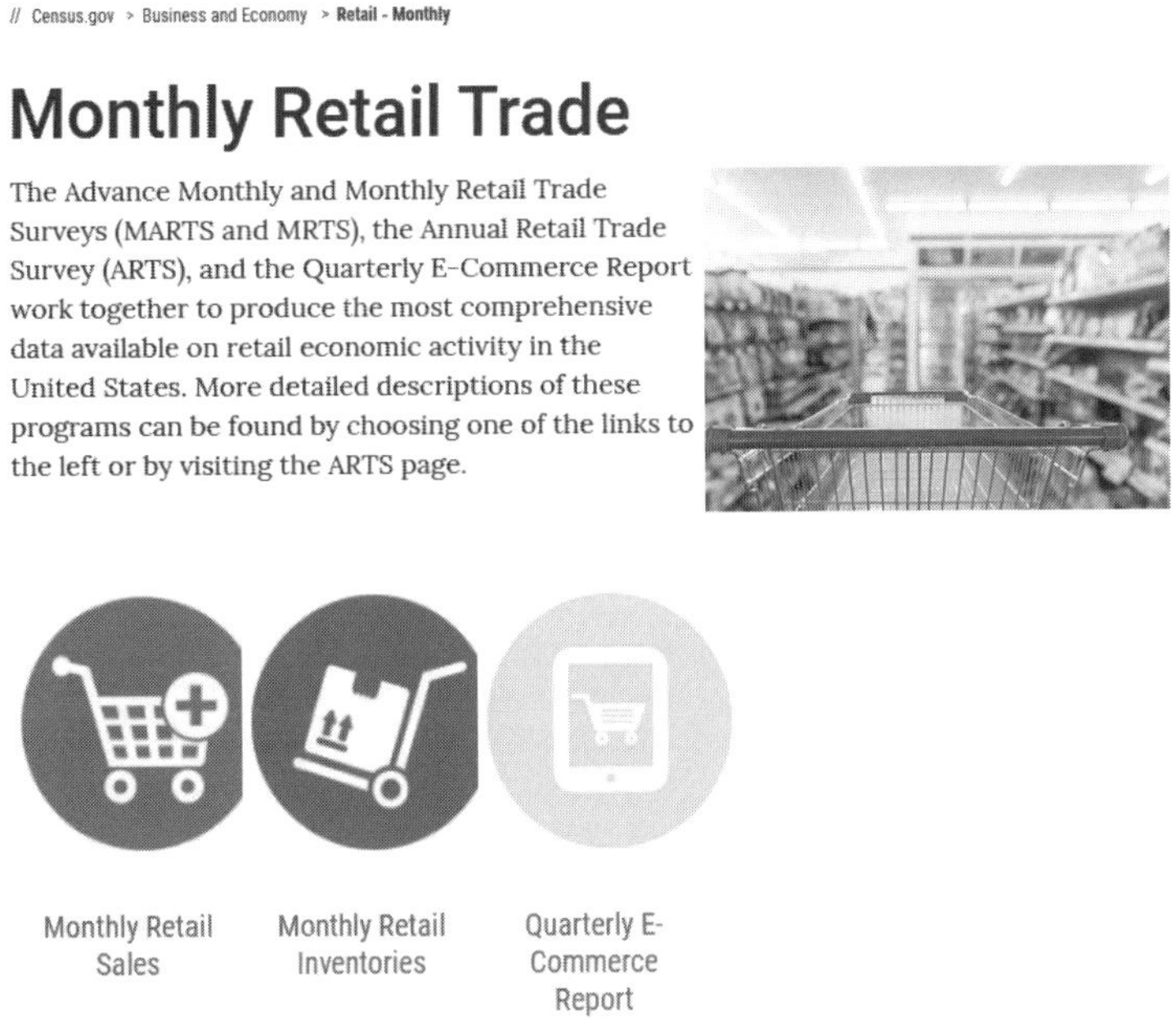
// Census.gov > Business and Economy > Retail - Monthly
Monthly Retail Trade
The Advance Monthly and Monthly Retail Trade Surveys (MARTS and MRTS), the Annual Retail Trade Survey (ARTS), and the Quarterly E-Commerce Report work together to produce the most comprehensive data available on retail economic activity in the United States. More detailed descriptions of these programs can be found by choosing one of the links to the left or by visiting the ARTS page.
Monthly Retail Sales
Monthly Retail Inventories
Quarterly E-Commerce Report

出所：https://www.census.gov/retail/index.html

者は財布の紐を締め、余計なものにお金を使わなくなるでしょう。
このように小売売上高は、景気の先行指標として重要視されることが多いデータなのです。

4-1-1　注目を集めるのは全体と、自動車を除いた売上高

小売売上高は、その月に小売店で販売された金額が前月や前年からどの程度増加したのか、あるいは減少したのかで表されます。細かい内訳を見ると多くの項目があることが分かりますが、その中で市場がまず注目するのは、全体の売上高と「自動車を除いた(ex-Auto)売上高」の二つです。

小売売上高は、販売金額の変化を見るものです。自動車は個人が購入する商品の中でも金額が大きく、その売り上げの増減はどうしても全体に影響を及ぼすことになります。また一度購入すれば、次に買い替えるまでの期間も長いため、消費者の日々の消費行動を見るのには適したデータと言うことはできません。そのために、自動車やその部品(Motor Vehicle & Parts Dealers)を除外した数字が重要になってくるのです。

このほか、ガソリンスタンド(Gasoline Stations)売上高を外した数字も注目されることが多いですね。車社会の米国において、ガソリンは日々の生活に欠くことはできません。消費者の景況感によって消費量が大きく変化するよりも、どちらかというとガソリン価格の変動によって、ガソリンスタンドの売上高は増加したり減少したりする割合が大きいです。個人の消費行動をその

まま表しているわけではないというのが、ガソリンスタンドの売り上げを除外する理由です。

このほか、建設資材や造園（Building Material & Garden Equipment）も、日常の消費活動に含まれることはないという理由で除外されることがあります。こうした項目を全て除外したものを、コア指数として重視するアナリストもいます。

売上高が大きく増加したり減少したりといったサプライズとなった場合は慌ててその数字に反応するのではなく、どのような項目が大きな変動をもたらす要因となったのかを、まず確かめる必要があるでしょう。見た目には大きな増加や減少が見られたとしても、上述の項目を除いてみると大した変化ではなかったということもありますし、それとは逆に全体では変化がなくとも、コア指数は意外に大きく増加していたということもあるのです。

4-1-2　季節的な傾向がハッキリと出てくることが多い

小売売上高の特徴として、季節的な傾向や天候の影響がハッキリと出やすいことも挙げられます。その代表的なものは、毎年11月の第4木曜日の感謝祭（Thanksgiving）翌日のブラックフライデーからクリスマス（Christmas）まで行われる「年末商戦」でしょう。この期間、米国では家族や友人などへのクリスマスプレゼントを買うためセール品を求めて街に繰り出し、多くの金額を買い物に費やします。11月後半から12月というのは、1年のうちでも一番売上高が増加する時期なのです。

また8月の後半は、9月から始まる新学期を前にして、授業で使用するものなど学校関連の消費が増えることでも知られています。小売業者もこの期間は、Back to Schoolと銘打って大々的なバーゲンセールを行います。もちろんこうした傾向は、「季節調整値」という形である程度は調整済みとなっていますが、しっかりと頭に入れておく必要があるでしょう。

天候に対しても十分な注意が必要です。年末商戦は小売業者にとって書き入れどきではありますが、この間に悪天候が続くと状況は変わってきます。人手が多くなる週末などに中西部や北東部の大都市が猛烈な寒波に見舞われ、人々が外出できないような状態が続けば当然ながら売り上げも落ち込むでしょう。最近はネットショッピングが普及したことで、影響も限定的なものになっているとは思われますが、それでも全くゼロということにはならないと思います。

これ以外でも、例えば夏に全国の広い範囲で猛暑が続いたりすれば、エアコンの売れ行きが増加するなど、小売売上高は天候の影響を大きく受けやすいものなのです。

そうしたことからも、小売売上高は変動が意外に大きい指標ということができるでしょう。サプライズが飛び出し、相場が激しく動くことも多いだけに十分な注意が必要だと思います。

4−2　消費者景況感指数は、ブレの大きい不安定なバロメーター

企業の景況感を表す指標としてＰＭＩがあるように、消費者の景況感指数を表す指標があります。代表的なものは、民間のシンクタンクであるカンファレンス・ボード(Conference Board)が発表する「消費者信頼感指数(Consumer Confidence)」と、ミシガン大学の調査チームとロイターが共同で発表している「消費者指数(Survey of Consumers)」です。

どちらの指標も、現在の経済状況（現状指数）と６カ月後の状況（期待指数）について質問を行い、その回答をまとめて指数化しています。メディアのヘッドラインに流れる総合指数は、現状指数と期待指数の両方を総合して算出されます。

消費者景況感指数は企業の景況感指数よりも数字にバラつきが大きく、その時々の経済状況により大きく左右される傾向が強いと思います。結局のところは株価の影響が大きく調査が行われた時点で株が上昇していれば、強めの数字が出る場合が多いということができるでしょう。

４-２-１　消費者信頼感指数は、雇用の先行きについての調査が充実

カンファレンス・ボードが発表する消費者信頼感指数は毎月最終火曜日に、その月の調査結果が発表されます。内容は「総合指数」、「現状指数(Present Situation Index)」、「期待指数(Expectations Index)」の３種類です。

１９８５年を１００として、それに比べて良くなったのか悪くなったのかが指数化されています。ウェブサイトでは指数だけでなく、質問項目について、良いと答えた人と悪いと答えた人の

名称	消費者信頼感指数（The Consumer Confidence Survey）
発表機関	カンファレンス・ボード（Conference Board）
発表時期	毎月最終火曜日
概要	現在と6カ月後の景気の見通しについてアンケートで調査して指数化した経済指標
特徴	雇用視点や家計状況に関する景況感

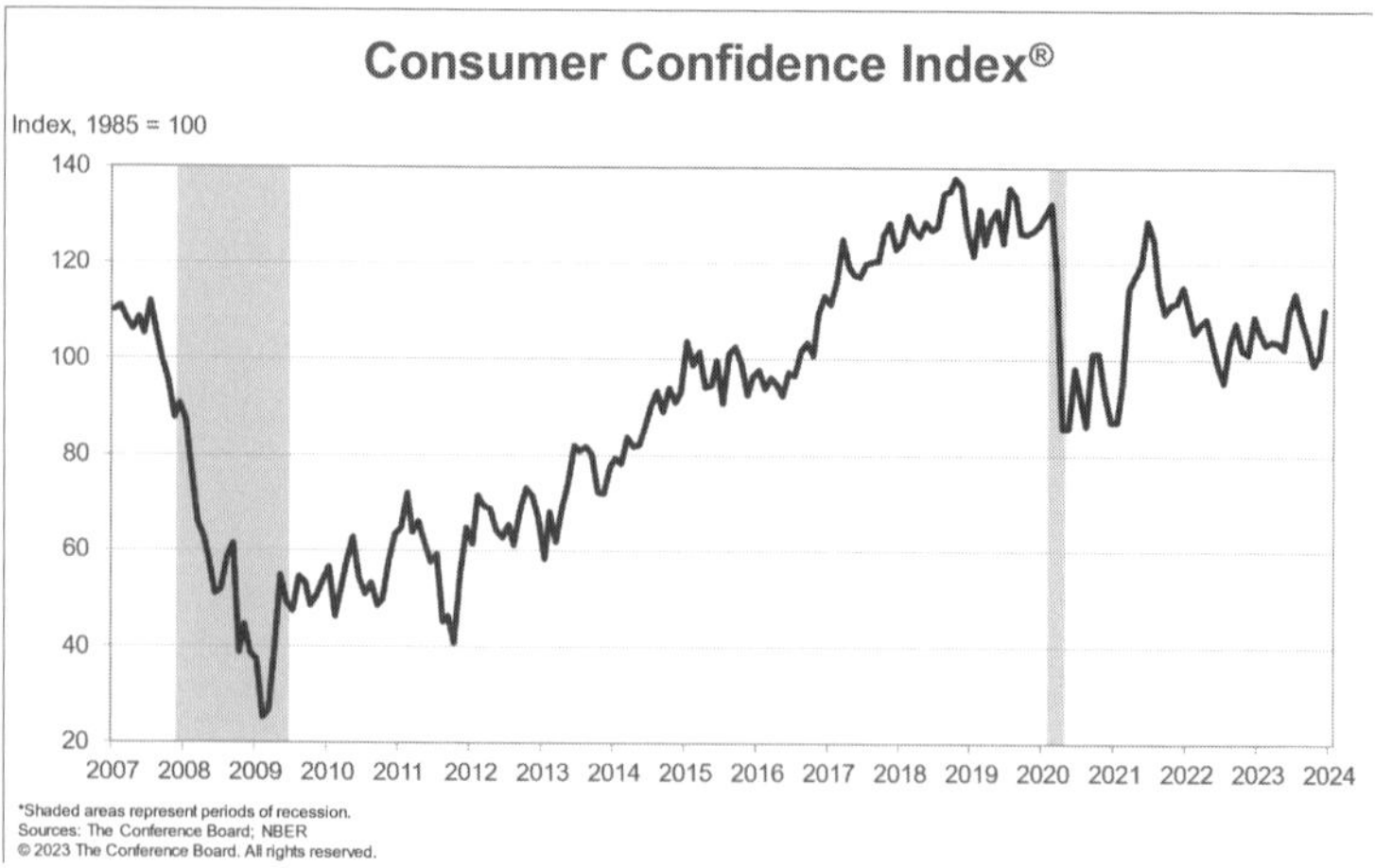

出所：https://www.conference-board.org/topics/consumer-confidence

割合がどの程度だったのかも詳しく見ることができます。

現状指数に関する質問項目は、現在のビジネス状況が良いのか悪いのか、現在仕事は十分にあるのか、仕事を見つけるのに苦労しているのかの2点。期待指数に関する質問項目は、ビジネス状況が6カ月後に良くなるのか悪くなるのか、今後求人は増えるのか減るのか、収入は増えるのか減るのかの3点について。それぞれ何パーセントの人が前向きな回答を行い、何パーセントが後ろ向きな回答を行ったのかが記されています。

このように消費者信頼感指数は、雇用に関する質問に重点を置いている景況感調査として知られています。

このほかにも、現在の家計の経済状況が良いのか悪いのか、6カ月後に良くなるのか悪くなるのかといった質問や、12カ月後に米国経済がリセッションに陥ると思うかどうかについての質問への回答状況も発表されています。

4-2-2　ミシガン大消費者指数は、インフレ見通しも発表される

ミシガン大学の調査チームとロイターが共同で算出している消費者指数は、毎月半ばと月末の金曜日に発表されます。調査は電話によるアンケートで行われ、カンファレンスボードの消費者信頼感指数よりも集計が速いのが特徴です。消費者信頼感指数同様に総合指数のほか、現状指数、6カ月後の見通しについての期待指数が発表されます。

名称	ミシガン大消費者指数（Index of Consumer Sentiment）
発表機関	ミシガン大学とロイターが共同で調査
発表時期	毎月半ばと月末の金曜日
概要	現状と6カ月後の景気の見通しについてアンケートで調査して指数化した経済指標
特徴	消費者信頼感指数よりも集計が速い。インフレの見通しも発表

surveys of consumers
UNIVERSITY OF MICHIGAN

HOME　TABLES　CHARTS　REPORTS　CONTACT　DATA SITE

Final Results for December 2023

	Dec 2023	Nov 2023	Dec 2022	M-M Change	Y-Y Change
Index of Consumer Sentiment	**69.7**	61.3	59.8	+13.7%	+16.6%
Current Economic Conditions	**73.3**	68.3	59.6	+7.3%	+23.0%
Index of Consumer Expectations	**67.4**	56.8	60.0	+18.7%	+12.3%

Featured Chart (Image | PDF)

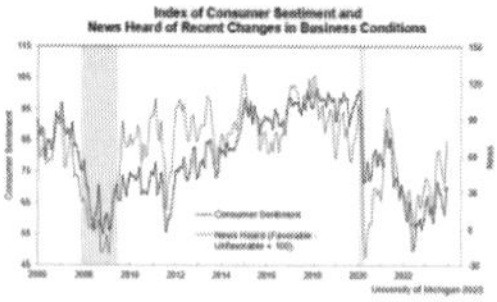

Interest Rate and Price Pressures on Consumers (September 8, 2023)
Revisions to Estimates (October 27, 2023)

出所：http://www.sca.isr.umich.edu/

消費者信頼感指数が雇用に重点をおいた質問が多いのに対し、ミシガン大の消費者指数はインフレ見通しに対する質問があるのが特徴です。１年後と5年後のそれぞれについて、価格が今から上昇するか／横ばいか／低下するのかの見通しを集計し、指数化します。

連邦準備制度理事会（ＦＲＢ）が金融政策を決定する際、市場のインフレ期待(Infration Expectation)は非常に重要な検討項目になりますが、このインフレ見通しを図る手段はそれほど多くないというのが実際のところです。ミシガン大消費者指数のインフレ見通しは、市場のインフレ期待を推測する数少ない指標のひとつとして注目度は高いのです。

とはいえ、一般の消費者へのアンケート調査ですから、回答者はそれほど深く考えることなしに、インフレ見通しを述べている可能性が高いのも確かです。先に、消費者の景況感指数は足元の株価の動向に影響される部分が大きいと書きましたが、インフレ見通しも意外に単純で、足元のガソリン価格の変動に影響されることが多いと言われています。価格に関する調査項目にはガソリン価格の動向のほか、現在居住している地域の住宅価格が今後上昇するのか下がるのかなども含まれています。

その他の調査項目としては、現在は自動車や住宅など、支出の大きな買い物を行うのに適した時期であるかといったものや、将来家計の収入が上がるのか下がるのかといったものがあります。市場は指数が単純に前月から上がったか・下がったか、予想を上回ったのかどうかなどに反応しますが、このように多くの調査項目の回答を基に算出されていることは、頭に入れておいたほうがよいでしょう。

4－3　個人所得、個人消費は、注目度が高い割に影響はそれほど大きくない

個人所得と個人消費支出（Personal Income and Outlays）は、個人の消費動向を測るうえで非常に重要な指標です。毎月末近くに前月の数字が米商務省から発表されます。

個人消費は人々がモノやサービスを購入するためのお金を、しっかりと得ることができているのかという点では、ほかに代えのきかないデータだということができるでしょう。収入が多くなれば消費できる金額も増えますし、減少すればその分財布の紐も固くなるからです。

一方個人消費支出は、文字通り個人がどの程度の金額を消費に回したのかがそのままデータとして表れてくる、具体的で現実的な指標ということができるでしょう。また同時に発表される個人消費価格指数(PCE Index)はＦＲＢが注目している物価指標として有名で、市場の注目度もかなり高くなっています。こちらのほうは、このあと物価関連指標の章で詳しく説明します。

名称	個人所得・個人消費支出（Personal Income and Outlays）
発表機関	商務省（Department of Commerce）
発表時期	翌月の最終木曜日か金曜日
概要	個人が得た所得と実際の支出
特徴	全ての個人所得が含まれているわけではなく、タイムリーさにも欠ける

Personal Income and Outlays, November 2023

Personal income increased $81.6 billion (0.4 percent at a monthly rate) in November, according to estimates released today by the Bureau of Economic Analysis (tables 2 and 3). **Disposable personal income** (DPI), personal income less personal current taxes, increased $71.9 billion (0.4 percent) and **personal consumption expenditures** (PCE) increased $46.7 billion (0.2 percent).

The **PCE price index** decreased 0.1 percent. Excluding food and energy, the PCE price index increased 0.1 percent (table 5). **Real DPI** increased 0.4 percent in November and **real PCE** increased 0.3 percent; goods increased 0.5 percent and services increased 0.2 percent (tables 3 and 4).

	2023				
	July	Aug.	Sept.	Oct.	Nov.
	Percent change from preceding month				
Personal income:					
Current dollars	0.2	0.4	0.3	0.3	0.4
Disposable personal income:					
Current dollars	0.1	0.4	0.3	0.3	0.4
Chained (2017) dollars	0.0	0.0	-0.1	0.3	0.4
Personal consumption expenditures (PCE):					
Current dollars	0.6	0.3	0.7	0.1	0.2
Chained (2017) dollars	0.5	-0.1	0.4	0.1	0.3
Price indexes:					
PCE	0.1	0.4	0.4	0.0	-0.1
PCE, excluding food and energy	0.1	0.1	0.3	0.1	0.1
Price indexes:	Percent change from month one year ago				
PCE	3.3	3.3	3.4	2.9	2.6
PCE, excluding food and energy	4.2	3.7	3.6	3.4	3.2

出所：https://www.bea.gov/data/income-saving/personal-income

このように、それらは非常に重要な経済指標なのですが、発表を受けた市場の反応というのは意外に大きくないというのが個人的な印象です。理由は色々あると思いますが、まず発表のタイミングが遅いということがあります。発表日は、翌月の最終木曜日か金曜日で、それまでに他の重要な経済指標はだいたい発表が終わっています。

注目はされるけれども同系統の経済指標の数字を受けて、その内容は既に市場に織り込み済みとなっていることが多く、数字を確認するだけに終わってしまうという場合がほとんどです。もちろんサプライズがあれば相場も大きく反応するでしょうが、実際には予想通りの数字が並んでいるという場合がほとんどだと言っても過言ではないでしょう。

とはいえデータの内容自体はやはり重要で、この数字なくして個人消費の動向を把握することはできません。項目ごとにその内容を細かく見ていくことにしましょう。

4-3-1　個人所得は比較的変動は少ないが、消費の先行指標となる

個人所得(Personal Income)は、個人がその月にどの程度の収入を得たのかを表す指標です。内容は大きく「給与所得(Compensation of Employees)」と「資産所得(Receipts on Assets)」の二つに分けられます。

給与所得は文字通り、労働をすることによって得られる収入で、さらに給与(Wages and Salaries)と年金など(Supplements to Wages and Salaries)に分類されます。

資産所得は利息や配当など個人が所有している預金や株式、不動産などの資産から得られる収入です。所得が増えると当然ながらその個人が消費する額も増えることになるので、消費支出の先行指標としてとらえることもできるでしょう。その点で注目すべきは、可処分所得(Disposable Personal Income)の額です。

可処分所得とは、収入のうち、税金や社会保険料などを除いた額で、個人が自由に使える手取りの収入です。全体の所得よりも伸びがやや小さくなるのが普通ですが、減税や増税などがあれば、可処分所得が大きく変動することも考えられます。

4-3-2　個人消費支出の動向は、そのまま景気に直結する

個人消費支出は、そのものズバリ、個人がどれだけの額を消費したかを表す指標です。インフレ調整をした額も公表されてはいますが、市場が注目しているのはインフレ調整前の数字で、インフレが進んでいるときは高めに出る傾向があります。

項目はそれほど細分化されているわけではなく、「耐久財(Durable Goods)」と「非耐久財(Nondurable Goods)」、そして「サービス(Services)への支出」の3つを見ておけばよいでしょう。

4-3-3　個人貯蓄と貯蓄率の変化にも、注目が必要

個人の収入が増えても、それが全て消費に回るわけではありません。収入のうち幾らかは貯蓄に回りますから、個人貯蓄(Personal Saving)の変化にも注意を払う必要があります。たとえ収入が大幅に増えてもそれ以上に貯蓄が増えれば、消費に回る額が減ることになりますから、景気は弱気に作用します。一方で収入が伸び悩んでも、個人が貯蓄を取り崩してでも消費するのであれば、消費への影響は限定的なものにとどまります。もちろん貯蓄が十分にあるのか、そうでないのかは心理的に消費性向に影響を及ぼすことになりますから、一概には判断できない部分もあります。

市場では、個人貯蓄を可処分所得で割った「貯蓄率」という数字を用いて貯蓄の動向を判断しています。

4-3-4　個人消費価格指数(PCE)は当局が重視する物価指標

個人所得、個人消費支出を見るうえで、もうひとつ忘れてはならないのが物価指標である個人消費価格指数(PCE：Personal consumption expenditures)です。これはFRBが金融政策を決定する際の判断材料として用いていることが知られており、注目度もかなり高いものです。

これに関しては、物価関連指標の章で詳しく解説したいと思います。

❖アドバイス❖

個人消費がＧＤＰの６割以上を占める以上、個人の消費活動に関する経済指標が需要な意味を持つことに疑いの余地はありませんが、一方で経済指標の種類が多岐にわたり、データにブレが多いこともあって、決め手材料となりにくいことも否めません。

個人消費活動に関する経済指標は、その一つひとつに注目して一喜一憂するよりも、全体の流れの中で一つの大きなデータとしてとらえ、やや長い目で見る必要があります。そのためには個人が実際に消費をするまでに、どのようなプロセスを経ているかを整理しておくことが重要な意味を持ってくるでしょう。

個人が小売店なりオンラインショッピングなりで、何らかのモノやサービスを購入するためにはお金が必要になります。このお金の流れをしっかりと把握しておけば、個人消費に関する経済指標の理解も深まります。私も消費関連の指標を見る際には、こうしたお金の流れを意識し、関連する経済指標を見返しながら、データを分析するように心がけています。

個人が消費を行うために必要なお金を得るには、二つの方法があります。一つは労働や投資活動によってお金を得る。もう一つは、借金です。労働によって賃金、お金を得ることは金額面でも大きなウェイトを占めることになるでしょう。つまり雇用市場の動向が、消費に及ぼす影響は極めて高いということです。労働によって得られる賃金が増えれば、人々はその分をより多くの消費に回すことになります。また労働市場が好調で、将来的に失業する心配が低ければ低いほど、人々は積極的に消費を行うようになります。逆に雇用市場が低調で失業率が上昇しているときは、人々は先行きに不安を感じて消費を抑え、もしもの場合に備えて貯蓄を増やすことになります。個人所得や貯蓄率、第5章で取り上げている失業率などが、消費の先行指標として重要な意味を持つのがこのためです。

税金や社会保険料、健康保険などの各種支払いや家賃も、個人消費には大きな影響を及ぼします。こうした支出は定期的に期限通り支払う必要がありますから、支出額が増えるとその分他の消費を削らざるを得ません。人々は労働によって得た賃金から、こうした毎月きっちりと支払わなければならない支出を先に行い、余った分で消費を行うという流れはしっかりと覚えておくべきです。この支出には、光熱費も含まれます。夏に記録的な暑さが続いたり、冬に厳しい寒波が居座ったりすれば、光熱費の上昇から消費を抑制することになります。増税やインフレの進行も、やはり消費を鈍らせる要因となります。

一方で投資によって得られる収入は、労働による収入よりも消費に回る割合は高くなりがちです。もちろん投資で常に利益を得られるわけはなく、損失を出すリスクも加味したうえで判断する必要があるのですが、保有する株式の大幅な上昇などによって思わぬ売却益を得たときなどは、どうしても気が大きくなるものです。株価や不動産価格の上昇にともなう消費増加は「資産効果」と呼ばれていますが、消費動向を見るうえでは決して無視できないものです。毎月発表される消費者景況感指数が株価の動向に影響を受けやすいのも、納得がいくところです。消費者の心理状態というのは、消費動向を左右する大きな要因となっていることは間違いないでしょう。

最後に借金による消費ですが、これは消費者にとって諸刃の剣で見極めが難しいという点で消費動向をつかむうえでも取り扱いに注意すべきものです。

借金による消費というのは、すなわちクレジットカードを利用し、支払い能力以上の買い物をするということです。消費した分の支払いができなければ、それがクレジットカードの残高として残ります。こうしたカードローンなどの残高を集計したものが、消費者信用残高です。単純に言えば、カードローンの残高が増えているということは、それだけ消費が活発に行われたということですから、消費にとってはプラスに作用します。しかしながら、あまりにも残高が膨れ上がり過ぎて毎月の最低支払い額が増加していけば、逆にその後の消費を鈍らせることになります。

金利が上昇する局面や高止まりしている状況下では、そうした影響も顕著となります。カードローンの残高の増加を伴った消費の増加は、短期的にはプラスに作用しても中長期的には消費に大きな打撃を与える可能性があることを忘れないでください。

こうした様々な要因が絡み合ったうえで、人々は消費を行います。そしてその消費行動は、最終的に小売売上高や個人消費支出に反映されることになるのです。個人の消費行動は、このように複雑な要因が絡み合って決定されます。それだけに見極めも難しくなるのですが、逆に取り組みがいのある指標ともいうことができるでしょう。

第5章

雇用に関する経済指標

・雇用統計（Current Employment Statistics）

・失業保険申請件数（Unemployment Insurance Weekly Claims）

・求人・労働力移動調査（Job Openings and Labor Turnover Survey）

・ADP全米雇用レポート（ADP National Employment Report）

・企業解雇予定数（Challenger Report Job Cuts）

本章では、雇用に関する経済指標を見ていきます。

個人消費はGDPの6割以上を占めるとこれまで何度もお伝えしましたが、その個人消費に大きな影響を及ぼすのが雇用動向です。多くの人は、働いて得たお金で生活をしています。つまり個人が収入を得ない限り、消費も行われません。もちろん、貯蓄を取り崩して生活している人も、働かなくとも十分にお金を使うことができる資産家もいます。加えて、貧困層には政府の生活補助もあります。ですが、これらの割合は無視できるほどに小さなものと考えてよいでしょう。

雇用動向が好調で給料も順調に上がっていれば、人々はより多くのお金を消費に回すことが可能になります。一方で雇用動向が悪化傾向にあり、将来の生活や雇用状態、収入に不安が高まっているときには、人々は消費を控える傾向にあります。

雇用が好調かどうかが、消費を左右すると言っても過言ではありません。よって雇用関連指標は市場の注目度も高い、重要な指標と位置付けられるのです。

5－1　雇用統計は、誰もが注目する経済指標の中の経済指標

「雇用統計（Current Employment Statistics）」は市場がもっとも注目する、経済指標の中の経済指標です。内容にサプライズも多く、発表後に相場が大きく動くことが多いのも、注目を集め

名称	雇用統計（Current Employment Statistics）
発表機関	労働省（Department of Labor）
発表時期	12日を含む週の３週間後の金曜日
概要	米国の労働者の雇用状況を調査した指標
特徴	非農業部門雇用数と失業率に注目

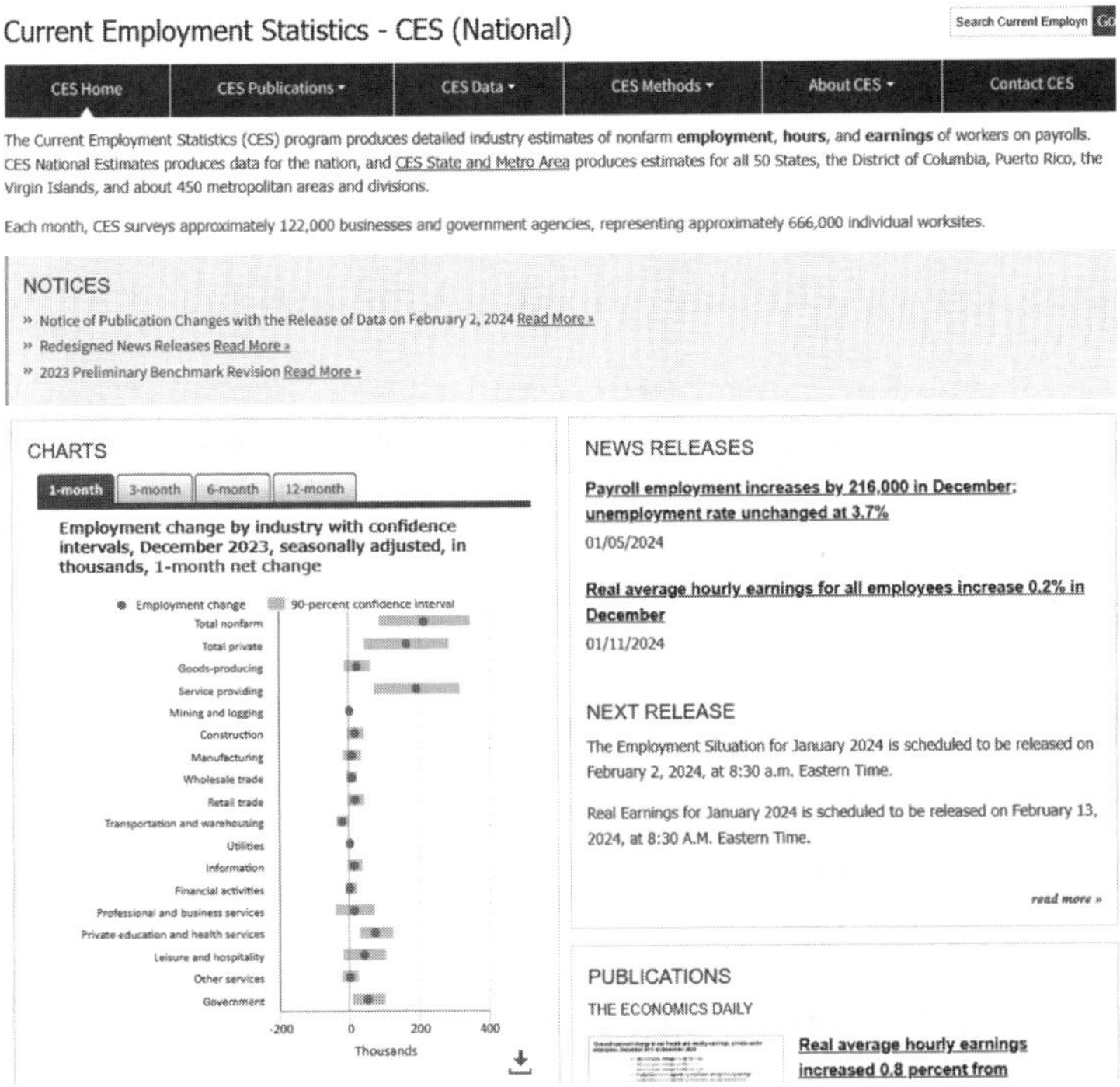
Current Employment Statistics - CES (National)
Search Current Employn
CES Home
CES Publications
CES Data
CES Methods
About CES
Contact CES
The Current Employment Statistics (CES) program produces detailed industry estimates of nonfarm employment, hours, and earnings of workers on payrolls. CES National Estimates produces data for the nation, and CES State and Metro Area produces estimates for all 50 States, the District of Columbia, Puerto Rico, the Virgin Islands, and about 450 metropolitan areas and divisions.
Each month, CES surveys approximately 122,000 businesses and government agencies, representing approximately 666,000 individual worksites.
NOTICES
» Notice of Publication Changes with the Release of Data on February 2, 2024 Read More »
» Redesigned News Releases Read More »
» 2023 Preliminary Benchmark Revision Read More »
CHARTS
1-month
3-month
6-month
12-month
Employment change by industry with confidence intervals, December 2023, seasonally adjusted, in thousands, 1-month net change
Employment change
90-percent confidence interval
Total nonfarm
Total private
Goods-producing
Service providing
Mining and logging
Construction
Manufacturing
Wholesale trade
Retail trade
Transportation and warehousing
Utilities
Information
Financial activities
Professional and business services
Private education and health services
Leisure and hospitality
Other services
Government
-200
0
200
400
Thousands
NEWS RELEASES
Payroll employment increases by 216,000 in December; unemployment rate unchanged at 3.7%
01/05/2024
Real average hourly earnings for all employees increase 0.2% in December
01/11/2024
NEXT RELEASE
The Employment Situation for January 2024 is scheduled to be released on February 2, 2024, at 8:30 a.m. Eastern Time.
Real Earnings for January 2024 is scheduled to be released on February 13, 2024, at 8:30 A.M. Eastern Time.
read more »
PUBLICATIONS
THE ECONOMICS DAILY
Real average hourly earnings increased 0.8 percent from

出所：https://www.bls.gov/ces/

る理由のひとつでしょう。

米労働省が集計し、大体翌月の第一金曜日に発表されます。正確には12日を含む週の3週間後の金曜日という細かいルールが定められており、大体と書いたのは日付の並び方によっては翌月の第二週の金曜日になることもあるからです。

労働省は12日を含む週時点のデータを基に数字を算出します。そのため、当該月の後半の状況が含まれることはありません。発表されるタイミングも早く、月の後半の部分は推測によるものになるので、誤差が多いのも事実です。雇用統計のサプライズとなることが多く、その次の月に大幅な修正が行われることが珍しくないのは、この集計方法が理由になっているのです。そのことを踏まえて、雇用統計の数字は見ていく必要があるでしょう。

5-1-1 雇用統計は、企業ベースと家計ベースの二本立て

雇用統計には多くの項目がありますが、その中でも特に市場の注目が集まるのは、「失業率(Unemployment Rate)」と「非農業雇用数(Non Farm Payroll)」です。実はこの二つは、まったく異なる調査方法によるものです。失業率が家計ベース――一般の人々に対して「あなたは現在仕事をしていますか?」というような形――での調査によって導き出されるのに対し、非農業雇用数は企業ベース――各企業に対して「あなたの会社は今何人の従業員を雇っていますか?」という形――での調査を基に算出されます。

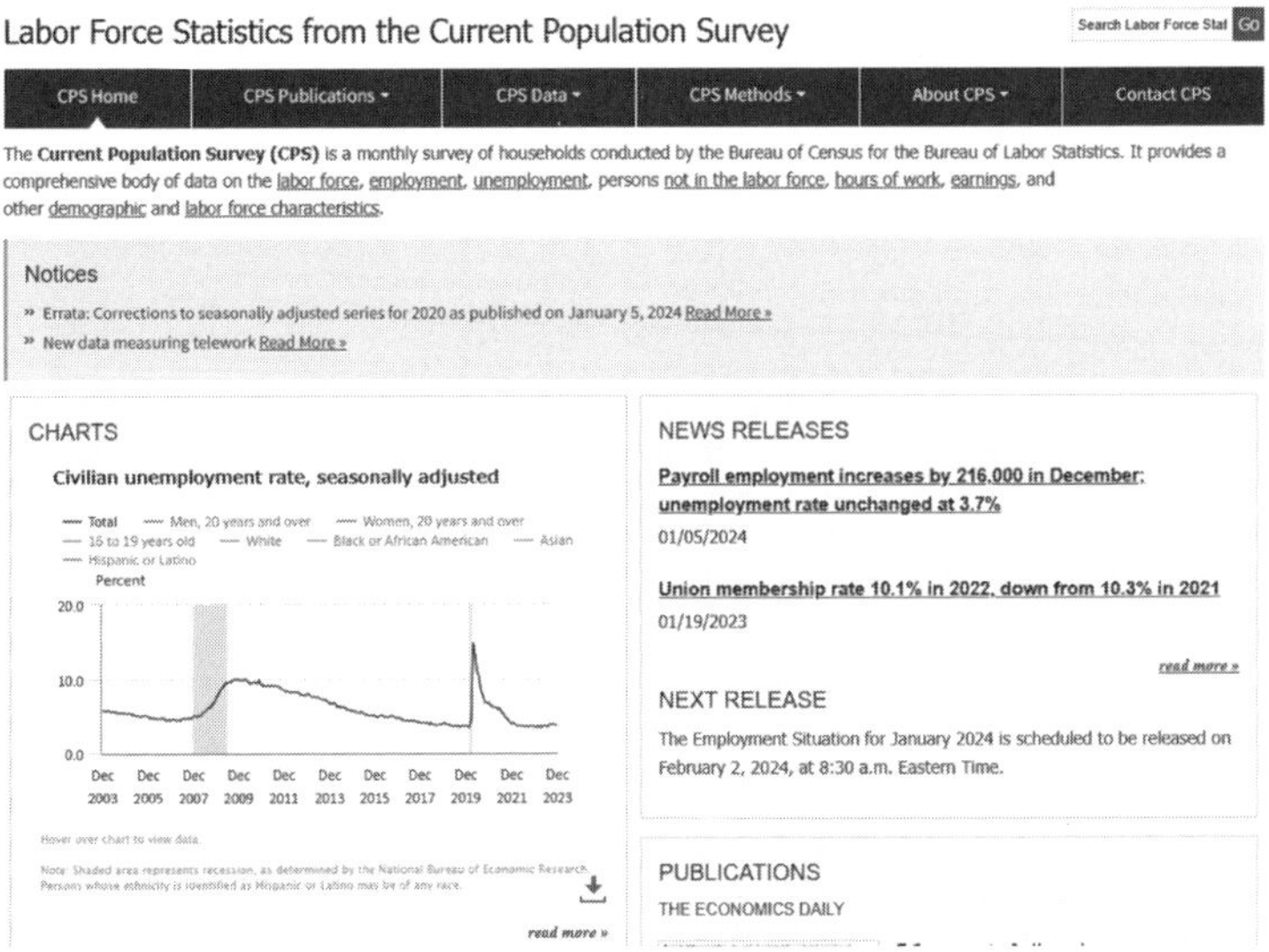

出所：https://www.bls.gov/cps/

家計ベースはA調査（Table-A）、企業ベースはB調査（Table-B）という形で、それぞれデータが発表されます。調査対象が異なりますから、同じ雇用統計といってもA調査とB調査では、その中身もデータの持つ意味合いも全く違うものになります。少なくとも自分が見ている数字が、家計ベース（A調査）によるものなのか企業ベース（B調査）によるものなのかは、しっかりと把握しておいてください。

では、それぞれの項目について細かく見ていきましょう。

5-1-2　失業率の鍵を握るのは、労働力人口

まずは家計ベース（A調査）の細かい

項目から見てみましょう。A調査で一番注目が集まるのは、なんと言っても失業率です。そして、その鍵を握るのが「労働力人口(Civilian Labor Force)」です。

労働力人口は、16歳以上で、現在働いている・あるいは働く意思をもった求職中の人の合計です。学生、既に引退した人、家事や育児のため仕事をしておらず職探しをするつもりのない人は、労働力人口に含まれません。こうした人々は「非労働力人口(Not in Labor Force)」に分類されます。

失業率は、労働力人口に含まれるも仕事に就いていない人＝失業者(Unemployed)の割合を示す指標となり、失業者数を労働力人口で割って算出します。経済が好調で企業が採用を積極的に増やしているときは失業率が低下し、景気が悪化して企業が採用を控えるようになると失業者が増加し失業率も上昇します。

しかしながら景気が良くても失業率が上昇することはありますし、反対に不景気でも失業率が低下することはあります。これはもっぱら、「労働力人口の変化」によって起こることが多いのです。

景気が良いときに、働いている人＝就業者(Employed)の数が増えるのは上記の理由からです。なのに、その時期に失業者が減らないのはなぜなのか。景気が好転すると、それまで「どうせ仕事は見つからないから」と職探しを諦めていた人たち（非労働者）が仕事を探し始める可能性が高くなります。つまり、非労働力人口に含まれていた人が労働力人口に変わり、母集団が増えることになります。とはいえ職探しを始めても、すぐに仕事が見つかるわけではありません。その間、彼らは失業者になるため、労働力人口が増えて結果的に失業率も上昇してしまうのです。

反対に景気が悪化してくると、失業者の中に「いくら仕事を探しても見つからないだろう」と職探しを諦めてしまう人が出てきます。職探しを止めた人は、労働力人口から非労働力人口に分類が変わります。結果として、失業者は減少し失業率も低下することになるのです。

失業率が上昇しても、同時に労働力人口が増加しているのであれば必ずしも弱気の内容とは言えません。反対に失業率が低下したときに労働力人口も減少しているなら、強気のサインと受け止めるべきではないのです。もちろん、労働力人口が増えている中でも失業率が下がっているときなどは、自信をもって強気に受け止めてよいと思います。

このように失業率を見るときには同時に労働力人口の変化にも注目し、その変化が労働力人口の増加・減少のどちらから起きているのかもしっかりと見ておく必要があるでしょう。

5-1-3　労働参加率は、求職者が景気の先行きをどのように見ているかが反映される

失業率と労働力人口の関係は微妙なもので、数字の変化だけでは強気なのか弱気なのか、判断に迷うこともままあります。こうしたときはその他の項目も参考にして、全体の傾向を把握すればよいでしょう。以下に、A調査の中で参考になるいくつかの項目について説明していきます。

労働参加率（Participation Rate）は16歳以上で、人口全体に占める労働力人口の割合です。

労働参加率は通常、60％台前半から半ばにかけてのレンジ内で推移しており、値が大きく動くことはありません。が、小さな変化でも景気の先行きを表す数字のひとつとして、チェックする必要があるでしょう。

労働参加率の変化は、先の「労働力人口の変化」が影響します。言わば求職者の景況感指数として、参考にすればよいでしょう。

5-1-4 失業率には、多くの種類がある

失業率は、全ての人を対象とした数字以外にも年齢や男女別、人種別で細かく分類されていますから、それらを注意深く見てみるのもよいでしょう。

20歳以上の成人男子（Adult Men）、成人女子（Adult Women）、16－19歳の未成年（Teenager）、白人（White）、黒人・アフリカ系アメリカ人（Black or African American）、アジア人（Asian）、ラテン・中南米系（Hispanic or Latino ethnicity）などが主な項目です。

そのほか、最終学歴別の失業率も公開されています。ここまで細かく見る必要があるのかは何とも言えないところですが、興味のある人はじっくり見てください。

このほか、市場が注目する失業率に「U－6」と呼ばれる項目があります。失業率はどういった人を失業者の範疇に加えるかで、数字が大きく変わってきます。米労働省は失業率をU－1からU－6まで、6つのカテゴリーで分類しています。

U―1	労働力人口に占める、15週間以上の長期失業者の割合
U―2	労働力人口に占める、解雇や一時雇用完了者の割合
U―3	労働力人口に占める、失業者の割合（公式の失業率）
U―4	U―3の失業者に職探しを諦めた人（Discouraged Workers,）を加算
U―5	U―4に家事や育児を理由に仕事をしていない人（Marginally attached to the Labor Force＝縁辺労働者）を加算
U―6	U―5正規雇用を希望しているにもかかわらず、パートタイムの仕事にしか就けない人（Part Time for Economic Reasons）を加算

Ｕ―１では長期（15週以上）の失業者のみを対象者とみなしますから、その数は少なく、失業率も低くなります。そこから上記のように失業者の対象を広げていくため、それに伴い失業率は上昇していきます。

公式の失業率はＵ―３のカテゴリーの数字です。ＦＲＢは、金融政策を決定する際に公式のＵ―３失業率とＵ―６失業率を参考にするとされており、そのため市場の注目も集まることになるのです。

5－2　失業保険申請件数は、雇用の先行指標としての注目度が高い

失業保険申請件数（Unemployment Insurance Weekly Claims）は、職を失った人が受け取る失業保険の申請状況を表した指標です。毎週木曜日に前週の金曜日までの1週間の申請件数を米労働省が発表します。この指標は、雇用の先行指標と位置付けられており、市場の注目度も高いと考えてよいでしょう。

米国では基本的に給料は月給ではなく、週ごとに支払われる週給であり、こうした保険の申請や給付、給付額を決定する際に用いられる失業前の収入も、全て週単位が基本となります。

5－2－1　失業保険申請件数は、新規申請件数と継続需給件数の二本立て

失業保険申請件数は大きく分けて新規申請件数（Initial Claims）と継続需給件数（Insured Unemployment）の二つがあります。

「新規申請件数」は対象期間に初めて失業保険を申請した人の数で、市場もこれを重要視しています。なぜなら申請件数が多いということは、それだけ失業した人が多くいたということですから、今後雇用が悪化する可能性が高いと判断することができるためです。一般的には、週に40万件以上の新規の申請があると、目先失業率が上昇していくと考えられています。30万件台半ばから後半だと雇用市場はやや不調、30万件前後なら中立、20万件台半ばよりも少なければ、雇用

名称	失業保険申請件数 （Unemployment Insurance Weekly Claims）
発表機関	労働省（Department of Labor）
発表時期	毎週木曜日
概要	失業保険の申請状況を表した指標
特徴	雇用の先行指標

SEASONALLY ADJUSTED DATA

In the week ending January 6, the advance figure for seasonally adjusted **initial claims** was 202,000, a decrease of 1,000 from the previous week's revised level. The previous week's level was revised up by 1,000 from 202,000 to 203,000. The 4-week moving average was 207,750, a decrease of 250 from the previous week's revised average. The previous week's average was revised up by 250 from 207,750 to 208,000.

The advance seasonally adjusted **insured unemployment rate** was 1.2 percent for the week ending December 30, a decrease of 0.1 percentage point from the previous week's revised rate. The previous week's rate was revised up by 0.1 from 1.2 to 1.3 percent. The advance number for seasonally adjusted **insured unemployment** during the week ending December 30 was 1,834,000, a decrease of 34,000 from the previous week's revised level. The previous week's level was revised up 13,000 from 1,855,000 to 1,868,000. The 4-week moving average was 1,862,250, a decrease of 8,000 from the previous week's revised average. The previous week's average was revised up by 3,250 from 1,867,000 to 1,870,250.

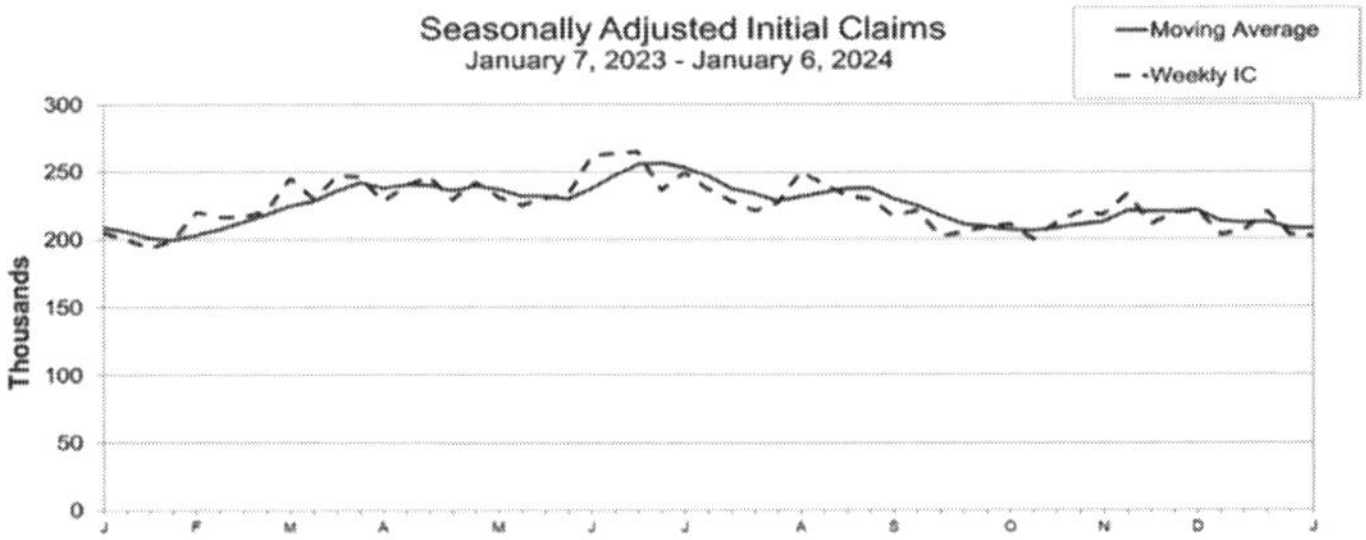

出所：https://www.dol.gov/ui/data.pdf

市場はかなり好調だということができるでしょう。

「継続需給件数」は2週以上にわたって失業保険を受け取っている人の数です。失業保険は毎週、当該機関の職探しの進捗状況を報告しなければ継続して受け取ることができません。一方で、失業保険を申請してもすぐに次の仕事が見つかれば、2週目以降に申請を続けることはないでしょう。つまり継続需給件数が多いということは、それだけ次の職を見つけることが困難な状況であることを表しているとも言えるのです。こちらの方も、数が多いと雇用にとって弱気、数が少ないと強気ということになります。

5-2-2 データはバラツキが激しいので、4週間の平均を取って見る

失業保険申請件数は週ごとの集計・発表のため、どうしても数字のバラツキが出てしまいます。当該期間に祝日が含まれていれば、当然ながら申請件数は少なめになります。

今では申請もほとんどがオンラインで行われるため関連性は薄くはなりましたが、悪天候が続くと申請に行くのが億劫になり、数が減少するという考え方もありました。また申請自体はオンラインでできても、その後担当官の面接を受ける必要があります。どちらにしても、一度は事務所に行かなければならないことが多いようです。

このように変動の大きい指標でもあるので、市場では4週間の平均を取ってその傾向をつかむというのが一般的になっています。

また申請や給付は州単位で行われているので、各州が細かなデータを出します。労働省が発表するデータは各州から上げられてきたデータをそのままとめたものになります。州ごとのデータを細かく分析することで何か新たな発見があるかもしれませんので、興味のある方は一度試してみてください。

5－3　求人・労働力異動調査（JOLTS）は、近年注目度の上がった指標

求人・労働力異動調査（JOLTS：Job Openings and Labor Turnover Survey）は、米労働省が発表する雇用関連指標の一つです。労働省が企業に対して聞き取り調査を行った結果をまとめたもので、毎月初めに前々月の数字が明らかになります。内容は２本立てで、企業がその月にどの程度の求人を出したのかと、解雇・自主退職などによって労働力がどの程度異動したのかを知ることができます。

5－3－1　求人数は、非農業雇用数の先行指標となり得るデータ

求人数（Job Openings）はそのタイトルの通り、企業がその月にどの程度の求人を出したのかを表した数字です。求人の項目は、大きく「民間」と「政府」に分かれており、民間はさらに

名称	求人・労働力移動調査 （Job Openings and Labor Turnover Survey）
発表機関	労働省（US Department of Labor）
発表時期	毎月初めに前々月の数字を発表
概要	雇用統計
特徴	企業がどの程度の求人を出したのか、労働力がどの程度異動したのかを聞き取り調査したもの

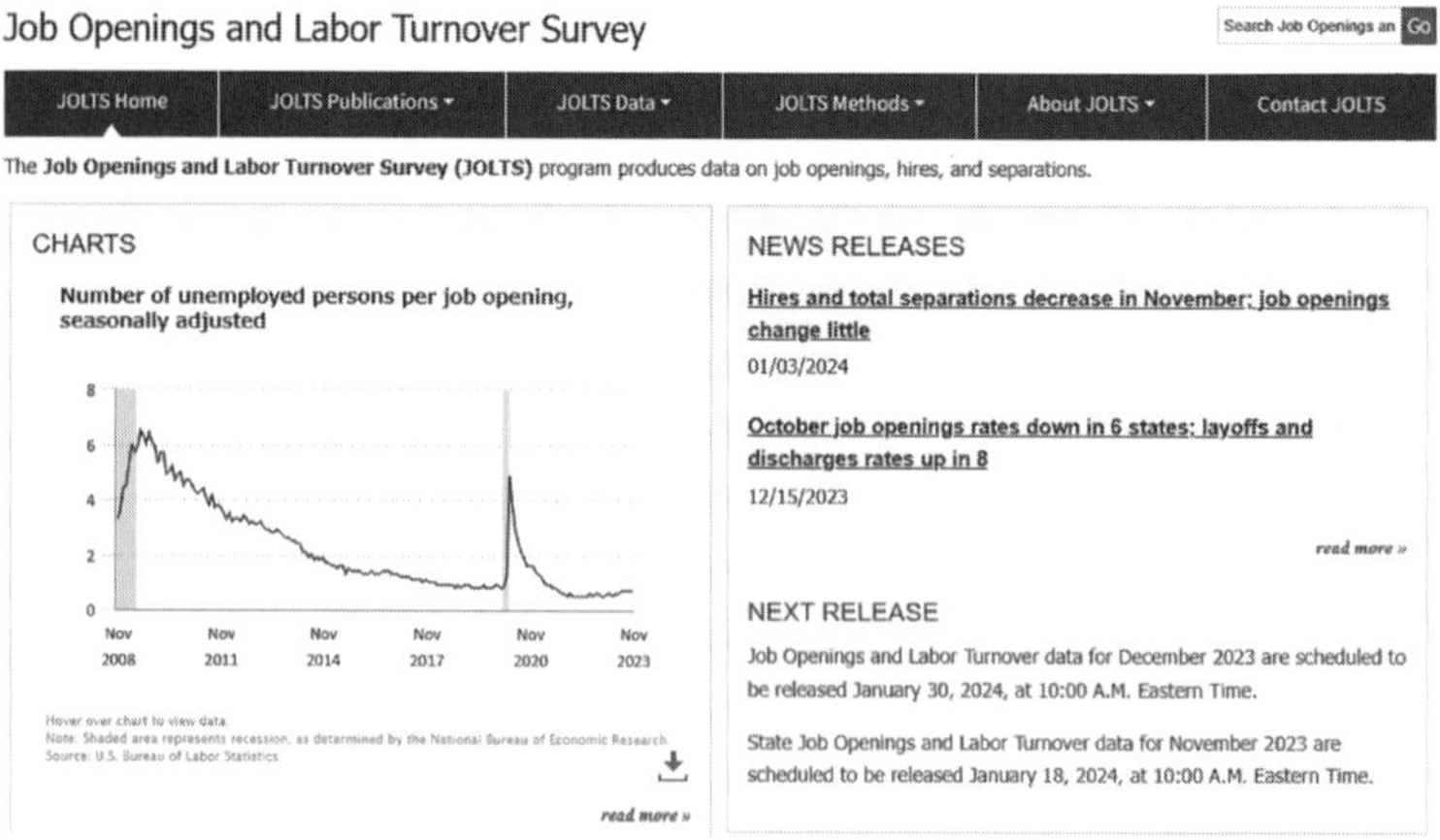

Job Openings and Labor Turnover Survey
Search Job Openings an
Go
JOLTS Home
JOLTS Publications
JOLTS Data
JOLTS Methods
About JOLTS
Contact JOLTS
The Job Openings and Labor Turnover Survey (JOLTS) program produces data on job openings, hires, and separations.
CHARTS
Number of unemployed persons per job opening, seasonally adjusted
8
6
4
2
0
Nov 2008
Nov 2011
Nov 2014
Nov 2017
Nov 2020
Nov 2023
Hover over chart to view data.
Note: Shaded area represents recession, as determined by the National Bureau of Economic Research.
Source: U.S. Bureau of Labor Statistics.
read more »
NEWS RELEASES
Hires and total separations decrease in November; job openings change little
01/03/2024
October job openings rates down in 6 states; layoffs and discharges rates up in 8
12/15/2023
read more »
NEXT RELEASE
Job Openings and Labor Turnover data for December 2023 are scheduled to be released January 30, 2024, at 10:00 A.M. Eastern Time.
State Job Openings and Labor Turnover data for November 2023 are scheduled to be released January 18, 2024, at 10:00 A.M. Eastern Time.

出所：https://www.bls.gov/jlt/

建設業や製造業、サービス業などに細かく分類されています。

企業が求人に応募した人を、求人枠いっぱいまで採用するとは限りません。そのため求人数＝将来の雇用数とはなりませんが、少なくとも求人数が増加すれば、一定の割合でその後の雇用数も伸びる可能性は高いと考えてよいでしょう。その点で、求人数は雇用数の先行指標の一つととらえられており、市場もこのデータを重視する傾向にあります。

5-3-2　新規採用数や離職数は、雇用数により密接するデータ

新規採用数（Hires）や離職数（Separations）はその月の雇用数の変化に、より密接に関係するデータと言えるでしょう。新規採用数はその月に企業が新たに採用した人の数、離職数は退職した人の数です。

離職数はさらに自主的退職（Quits）と解雇（Layoffs and Discharges）の二つに分類されます。解雇が多いと雇用市場や景気動向にはマイナスと受け止められます。一方、自主的退職が多い場合はそれだけ雇用市場が活況を呈しており、労働者がより良い待遇を求めて積極的に転職をしているととらえられ、雇用や景気にとってプラスと判断されることが多くなります。

また理屈のうえでは、新規採用数から離職数を引いた数字はその月の非農業雇用数の増減と一致するはずです。もちろん調査を行う際の誤差もあるので、完全一致とはなりませんが、長い期間でみればやはり同じような傾向をたどっています。

5-3-3　失業者一人あたりの求人数は、FRBが参考にするデータの一つ

同じ月の雇用統計の数字と組み合わせた「失業者一人当たりの求人数」も市場が注目するデータの一つです。FRBもこのデータを参考にするとしています。

具体的には、求人数を失業者の数で割って算出します。この数字が1を上回るということは、理論的には、失業しても次の職が見つかることになります。もちろん地域や職種など採用する側と応募する側の条件が一致する必要があるので、理論どおりではありません。しかしながら、この数字が1・50を超えてくるようなら雇用市場はかなり好調で、失業者も雇用の先行きに対して大きな不安を抱かなくなる傾向があると見てよいでしょう。先行きに不安がないと、消費行動なども積極的になり、景気の押し上げ要因になると考えられます。

逆に1・0を割り込んでくると、失業すれば次の仕事を見つけることがかなり困難になります。労働者は転職に対して消極的になり、万が一失業した時に備えて、消費を減らし貯蓄を増やす傾向が強まることになります。これは景気にとって、かなりのマイナス要因となります。

5-3-4　データに対する信頼度は低く、以前は重要視されなかった

実はこのJOLTSに関しては、注目を集めるようになったのは新型コロナウイルスのパンデミックによって雇用が激減した2020年以降です。それ以前は、あまり注目されることはありませんでした。雇用統計の聞き取り調査に比べると企業側の回答率は低く、求人に関しても、積

極的に採用する意思がなくても「もしかしたらいい人材がくるかもしれないので、とりあえず出しておこう」という理由で求人を出す企業も多く、数字が多めに出る傾向があったからです。この指標を見る際には、こうした背景を頭に入れたうえで参考にするとよいでしょう。

5－4　ＡＤＰ全米雇用レポートや企業解雇予定数なども、無視するべきではない

このほか、ＡＤＰ全米雇用レポートやチャレンジャー米企業解雇数も、雇用動向を示す経済指標として注目されています。それぞれの特徴を見てみましょう。

5-4-1　ＡＤＰ全米雇用レポートは、雇用統計との乖離が問題点

ＡＤＰ全米雇用レポート（National Employment Repot）は、雇用統計の２日前に発表される経済指標です。ＡＤＰとはAutomatic Data Processing社という、主に給与計算などを代行するサービスの大手で、その関連会社であるＡＤＰリサーチ・インスティテュートとスタンフォード・デジタル・エコノミー・ラボが共同で算出しています。

毎月雇用統計の発表の２日前、水曜日の米東部時間８時15分に発表されます。当初は、２日前

名称	ADP全米雇用レポート （ADP National Employment Report）
発表機関	ADP（Automatic Data Processing）
発表時期	米労働省が雇用統計を公表する2日前
概要	非農業部門の雇用数
特徴	米労働省公表の非農業部門雇用数の先行指標

ADP® National Employment Report
In collaboration with Stanford Digital Economy Lab
December 2023 | Subscribe | Download historical data
VIEW PAST REPORTS
SHARE
December 2023
Change in U.S. private employment
164,000
Private employers added 164,000 jobs in December
Job gains rose for the fourth straight month, led by a healthy bump in leisure and hospitality hiring. Construction held strong in the face of high interest rates, but manufacturing continued to struggle, notching another month of losses.
出所：https://ADPemploymentreport.com/

の発表日ということもあって雇用統計の先行指標として注目を集めたのですが、雇用統計との数字の乖離が大きく、次第に重要視されなくなりました。ＡＤＰは２０２２年に一度データの公表を中断し、統計方法を改善するとしたのですが、残念ながらその後も雇用統計との乖離は続いており、市場では参考資料程度にしかみなされていないのが現状です。

ＡＤＰレポートのデータ分析の基となるのは、給与計算サービス大手としての膨大な顧客データです。地域や企業の規模や業種と、多くのカテゴリーに分類して雇用の変化を発表しています。地域別や企業の規模によって分類されたデータは細かい雇用動向を分析しようという人には使い勝手のよいものかもしれませんが、マーケットはそこまで細かくはデータを見ないので、やはり全体でどの程度雇用が増えたのか、減ったのかに注目が集まります。

このほか、賃金に関してもデータを公表しています。中でも同じ企業に継続して働いている非転職者（Job Stayer)と、転職者（Job Changer）との賃金の伸びを別々に発表している点は参考になると思います。賃金の伸びは、前年との比較で算出されています。

5-4-2　米企業解雇予定数は、雇用ではなく解雇に注目した指標

米企業解雇予定数（Job Cut Report）は、人材派遣・転職サービス大手のチャレンジャー・グレイ・アンド・クリスマス社が発表する雇用関連指標です。といっても雇用数ではなく、企業が目先どの程度の人員整理・解雇を予定しているのかという点に注目した指標です。

名称	企業解雇予定数（Challenger Report Job Cuts）
発表機関	チャレンジャー・グレイ・アンド・クリスマス社
発表時期	雇用統計の前日の朝
概要	業界と地域別に発表された企業の解雇数
特徴	人員整理・解雇を予定しているのか

毎月初め、雇用統計の前日の朝に発表されます。解雇を予定している数ですから、これが増えてくると将来的に雇用の悪化は想像つくでしょう。全体でどの程度の解雇が予定されているのかに加え、業種別での動向や各州の傾向、さらには解雇の理由別のデータも見ることができます。このあたりまで丹念にデータを分析する必要があるのかはやや疑問ですが、興味がある人は見てみるのもよいでしょう。

5-5 企業景況感指数の雇用指数は、今後の動向を見極める手掛かりとなる

このほか、ＩＳＭ指数などの企業景況感指数（ＰＭＩ）や地区連銀の景況感指数にも雇用の動向を反映するサブ指数があります。市場がこの数字に大きく反応することはありませんが、企業の担当者に対するアンケート調査の結果なので将来的な雇用動向を占ううえでの先行指標と受け止めておけばよいでしょう。

ＩＳＭ指数やシカゴＰＭＩは、50が成長・減速の分岐点とされてい

ますので、50を超えて推移してるなら雇用市場は好調、50を割り込む状態が続くならこの先雇用は悪化するとざっくり考えてよいと思います。フィラデルフィア連銀やＮＹ連銀など地区連銀の景況感指数であれば、この分岐点はゼロになります。

また地区連銀の景況感指数には、雇用数のほかに労働時間という項目もあります。労働時間が増加するということは、それだけ人手不足の状態にあるということですから、将来的に雇用は伸びてくると予想されます。一方で労働時間が減るということは、それだけ仕事がないということなので、雇用にはマイナスと受け止めてよいでしょう。

❖アドバイス❖

雇用に関する経済指標は、極論すれば米労働省が発表する雇用統計が全てであり、これさえ見ておけばよいということになるでしょう。特に非農業雇用数と失業率は市場の注目度も高く、内容にサプライズがあれば相場も大きく動く可能性が高い、経済指標の王様と言っても過言ではありません。

一方で、雇用統計ほど事前予想が当てにならない経済指標もありません。特に非農業雇用数はアナリストからメディア、ファンドマネージャーに至る市場に携わる人々が皆必死になって様々なデータを分析し事前予想を立てるのですが、ことごとくそうしたものを裏切り続けているのです。

予想がピタリと当たり、特に市場の事前予想平均から離れたサプライズの結果を上手く見通すことができれば、当然ながら大きな利益をつかむ可能性も高いだけに、私も先行指標とされる失業保険申請件数や企業景況感指数の中の雇用指数をはじめ、多くのデータを分析して予想を立てようと悪戦苦闘していた時期もありました。しかしながら、そうした多くの労力を費やして得た結論は、「雇用統計は予想しても当たらないので、へたな努力はやめたほうがよい」というものでした。最近は事前にポジションを強気・弱気のどちらかの方向に大きく傾けることはせず、出てきた数字を基にして、その先を予想する方向に戦略を転換しています。

だからと言って、雇用統計を予想しようとする努力が、無駄になることは決してありません。予想が難しいのは、それだけ多くの経済的な要素の影響大きく受けているということであり、正確に予想しようとすればするほど、事前に分析するデータの数も増えていくからです。

経済指標をとことん追求したい人は、まずはこの雇用統計の事前予想を自分でやってみることをお勧めします。簡単に当たるものではありませんから、やればやるほどムキになって、何とか当ててやろうと事前に様々なデータをチェックするようになるでしょう。雇用統計自体の予想はいつまでたっても当たらないかもしれませんが、必死になってやっていくうちに、いつの間にか経済指標のエキスパートとなっているかもしれません。

第6章

物価に関する経済指標

・消費者物価指数（Consumer Price Index/CPI）

・生産者物価指数（Producer Price Indexes/PPI）

・個人消費価格指数（Personal consumption expenditures price indexes）

・輸出入物価指数（Import/Export Price Indexes）

・雇用コスト指数（Employment Cost Index）/ECI

・ミシガン大消費者信頼感指数

本章では物価に関する経済指標を見ていきます。インフレ（物価高）の進行が、その国の経済成長にとって一番大きな脅威となるのは間違いありません。物価が上昇すれば消費者の家計の負担は増え、消費そのものを鈍らせてしまいます。個人消費がGDPの6割以上を占めることを踏まえれば、景気への影響が大きいことも想像つくでしょう。

そこで各国の中央銀行は、「物価の安定」を最重要課題としています。FRBの場合は「物価安定」と「雇用の最大化」の二つの実現を責務（Dual mandate《デュアル・マンデート》）としていますが、これはどちらかといえば特殊な部類と言えるでしょう。多くの中央銀行は物価の安定が最優先事項となっており、それだけインフレというものに対する警戒感が強いことの表れと見ることができます。

インフレが進み始めると、中央銀行は政策金利を引き上げて抑えにかかります。金融政策は基本的に短期金利をコントロールするものですが、利上げを進めれば長期金利にも影響が及び、金利全体が上昇します。借り入れの多い企業は金利の負担が増えますから、当然のように設備投資に回る資金が減少、将来的な経済成長の足枷となります。景気が悪化すれば需要が減少し、それに伴って「インフレ圧力」も後退していきます。つまり、中央銀行はインフレを抑制するために政策金利を引き上げ、景気を悪くさせようとするわけです。こうした構図に例外はありません。

物価関連指標に強い伸びが相次ぎ、インフレの兆候が出てくれば、中央銀行による利上げ、景気の悪化もセットになってやってくると考えておくべきでしょう。もちろん、利上げのタイミングや規模によって影響を軽微なものにとどめることは可能ですし、それこそがまさに中央銀行の役割ということができると思います。が、多かれ少なかれインフレが進み始めれば、景気の悪化は避けられないと見ておくべきです。

6-1　消費者物価指数は、認知度も注目度も一番高い

数あるの中でも、一般への認知度や市場の注目度が一番高いものが「消費者物価指数（CPI：Consumer Price Index）」です。米労働省が集計し、翌月の半ばあたりに発表されます。基本的には、小売店での販売価格が調査の対象となります。消費者が直接購入するモノやサービスの価格が反映されていることに加え、発表時期が比較的早いことも注目を集める理由のひとつでしょう。

指数は前月比、前年比ともに注目されますが、FRBが目標とするインフレ率を「前年比で2%」に設定していることもあり、どちらかといえば前年比が重視されることが多いようです。また前月比では季節調整後の数字、前年比では季節調整前の数字を用いることが多いので注意が必要です。

消費者物価指数は基本的に、形のある「製品（Goods）」と、形のない「サービス（Services）」の二つから成り立っています。さらに多くの項目に分かれているため、これらを全てチェックしよ

名称	消費者物価指数（Consumer Price Index/CPI）
発表機関	労働省（Department of Labor）
発表時期	毎月15日前後
概要	都市部の消費者が購入する商品やサービスの価格の変化を指数化した指標
特徴	総合CPI：全品目が対象 コアCPI：エネルギーと食料品を除いた項目が対象

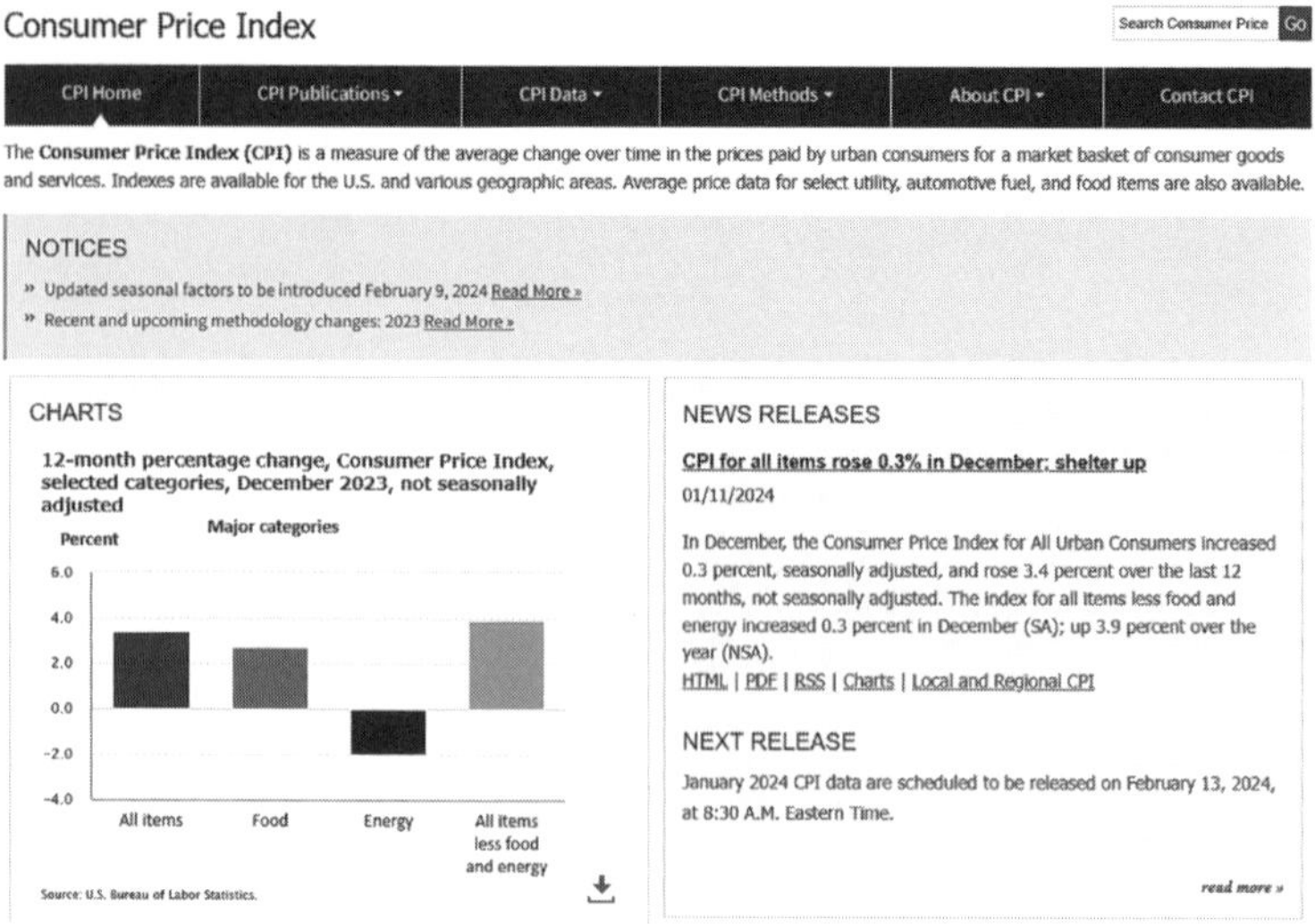

Consumer Price Index
Search Consumer Price
Go
CPI Home
CPI Publications
CPI Data
CPI Methods
About CPI
Contact CPI
The Consumer Price Index (CPI) is a measure of the average change over time in the prices paid by urban consumers for a market basket of consumer goods and services. Indexes are available for the U.S. and various geographic areas. Average price data for select utility, automotive fuel, and food items are also available.
NOTICES
» Updated seasonal factors to be introduced February 9, 2024 Read More »
» Recent and upcoming methodology changes: 2023 Read More »
CHARTS
12-month percentage change, Consumer Price Index, selected categories, December 2023, not seasonally adjusted
Percent
Major categories
6.0
4.0
2.0
0.0
-2.0
-4.0
All items
Food
Energy
All items less food and energy
Source: U.S. Bureau of Labor Statistics.
NEWS RELEASES
CPI for all items rose 0.3% in December; shelter up
01/11/2024
In December, the Consumer Price Index for All Urban Consumers increased 0.3 percent, seasonally adjusted, and rose 3.4 percent over the last 12 months, not seasonally adjusted. The index for all items less food and energy increased 0.3 percent in December (SA); up 3.9 percent over the year (NSA).
HTML | PDF | RSS | Charts | Local and Regional CPI
NEXT RELEASE
January 2024 CPI data are scheduled to be released on February 13, 2024, at 8:30 A.M. Eastern Time.
read more »

出所：https://www.bls.gov/cpi/

うとすれば時間がいくらあっても足りません。まずは市場がどの項目に注目し、反応しているのかを把握することから始める必要があります。注目度が高いのは、「総合指数(All Items)」と「コア指数」ですから、まずはこの二つから見ていくことにしましょう。

6-1-1　コア指数は、なぜ重要視されるのか

ＣＰＩの中で一番注目されるのはやはり総合指数ですが、市場では総合指数からエネルギーと食料品を除いた「コア指数(All items less food and energy)」が重要視されることが多いです。

総合指数は物価全体の動きを表すものです。ですがエネルギーや食料品の価格は月毎の変動が大きいため、総合指数もそれにつられて不安定に動くことが多く、長期的な傾向を見るには適していません。前の月に大きく上昇したエネルギー関連の価格が、次の月に大幅に落ち込むことなどは日常茶飯事です。

大きな流れを読むには、この二つを除外して見るほうが分かりやすいというのが、コア指数が重要視される理由です。あるいはもっと単純に「ＦＲＢが物価動向を把握する際に、コア指数の動きを重視しているから」と言うこともできるでしょう。理由がどうであれ、市場がこの二つの指数に大きく反応することは間違いありません。ＣＰＩが発表された際には、真っ先に確認するようにしてください。

ですが、コア指数を算出する際に除外されるエネルギー(Energy)と食料品(Food)も、まった

く無視してよいわけではありません。総合指数とコア指数の乖離が大きいときは、当然ながらこの二つのどちらか、あるいは両方が大きく変動していることになります。総合指数とコア指数をチェックしたら、次はエネルギーと食料品のどちらがコア指数に影響を及ぼしたのかを見る必要があるでしょう。特にエネルギーは、その月の原油価格の動向に左右されますから、ある程度事前に予想がつくことも頭に入れておくとよいでしょう。

6-1-2　一度上昇すると下がりにくい項目には、注意が必要

次に注目すべき数字は、「住居費（Shelter）」でしょう。住居費は「家賃（Rent of primary residence）」と、「帰属家賃（Owners' equivalent rent of residences）」、そしてホテル代などの「宿泊費（Lodging away from home）」に分かれます。

帰属家賃とは、自宅を所有している人が支払うコストのことで、これには不動産税や住宅ローンの支払いも含まれます。実際には、家の所有者に対する聞き取り調査によって算出されます。その際の質問は、「もし現時点で誰かがあなたの家を借りるとすれば、家具や光熱費を除いた家賃はいくらになりますか？」といった内容となります。

家賃と帰属家賃は一度上昇するとなかなか下がらない、下方硬直性の強い物価指標として知られています。現実として不動産市況が悪化し住宅の販売価格が下がっても、大家は簡単に家賃を下げようとはしません。家賃が割高で借り手が見つからない場合でも、家賃を1カ月無料（Free

Rent）にするなどの割引方式を採り、基準となる家賃は下げないことが多いのです。エネルギー価格などの上昇によって物価が上がっているときには、状況が変われればまた物価も下がる可能性が高いですが、家賃が上がり始めた場合には注意が必要です。インフレ高止まりの大きな要因となることも十分にあり得ます。

一方、宿泊費はどちらかというと変動が激しいものですが、家賃に比べると金額が低いので指数全体に及ぼす影響は小さいと考えてよいと思います。

またもうひとつ、下方硬直性の強いものとして賃金を挙げることができますが、こちらは消費者物価指数には含まれません。賃金がインフレに与える影響については、雇用コストの項目で説明します。

6-1-3　サービスの価格は、人件費の影響を受けやすい

賃金の影響を受けやすい物価項目といえば、サービス（Services）が一番に挙げられるでしょう。サービスには基本的に原材料などのモノの仕入れがありませんから、コストの大部分は人件費になります。店舗を構えて提供するサービスであれば、家賃などその店舗の維持コストも軽視できません。

そして人件費と家賃というのは、先にも説明したように下方硬直性の強い項目です。店舗などの商業用不動産は、住居の家賃に比べると価格も大きく上下しますが、どちらかというとやはり

下がりにくい傾向があります。つまりサービスの価格というのも、ある程度下方硬直性の強い物価指標になるということなのです。

サービス価格も、しばしば変動の激しい「エネルギーを除いた指数(Services less energy services)」が重要視されます。ここに含まれるのは、主に住居費(Shelter)、医療費(Medical care services)、交通費などの輸送サービス(Transportation services)となります。

6-1-4 価格の高いモノやサービスの物価動向には、全体が影響を受けやすい

消費者物価指数の項目で、もうひとつ注意を払う必要があるのは、価格の高いモノやサービスの動向です。労働省はそのモノやサービスの価格に応じて、各項目の物価指数への組み入れ比率を決定しています。それだけに高額商品やサービスの価格変動は、全体に影響を及ぼす可能性が高いと言うことができるのです。

価格の高いものとしては、家賃などの住居費(Shelter)、新車(New Cars)や中古車(Used cars and trucks)が代表的です。ここでも住居費が出てきましたが、それだけ市場の注目度も高くなるということなのでしょう。

6-2 生産者物価指数は、変動も激しいが先行性も備える

「生産者物価指数（Producer Price Indexes=PPI）」は、消費者が直接購入するモノやサービスの価格ではなく、その前段階、卸売レベルでの価格動向を反映した物価指標です。米労働省が集計し、翌月の半ばあたり、消費者物価指数に前後して発表されます。

生産者物価指数は消費者物価指数と異なり、原材料や人件費などのコストが反映されやすい物価指標です。小売店が消費者に販売する価格を大幅に変更することは売り上げに直接影響しますから、販売価格は小売店の企業努力によってある程度抑制されます。ですが、卸売レベルになると業者同士なので、比較的コストの変動が価格に反映されやすくなります。その分変動も激しくなりますが、消費者物価指数よりも変化の生じるタイミングが早いので物価の先行指標ということもできるでしょう。

6-2-1　総合指数とコア指数が、中心になることは変わらない

生産者物価指数においても、中心になるのはやはり総合指数とコア指数です。総合指数は最終需要（Final demand）と呼ばれており、製品が小売店の店頭にならぶ直前の仕入れコストを反映したものです。コア指数は、そこから食料品とエネルギーの価格を除いたもの（Final demand less foods and energy）となります。

もちろん消費者物価指数同様、そのほかにも様々な項目に分類されています。エネルギー（Final demand energy）や食料品（Final demand foods）をはじめ、サービス（Final demand services）の

名称	生産者物価指数（Producer Price Indexes/PPI）
発表機関	労働省（Department of Labor）
発表時期	毎月第2～第3週
概要	国内の製造業者が製造・出荷した製品の販売価格を調査した物価指数
特徴	製造段階別（最終財・中間財・原材料）、品目別、産業別がある

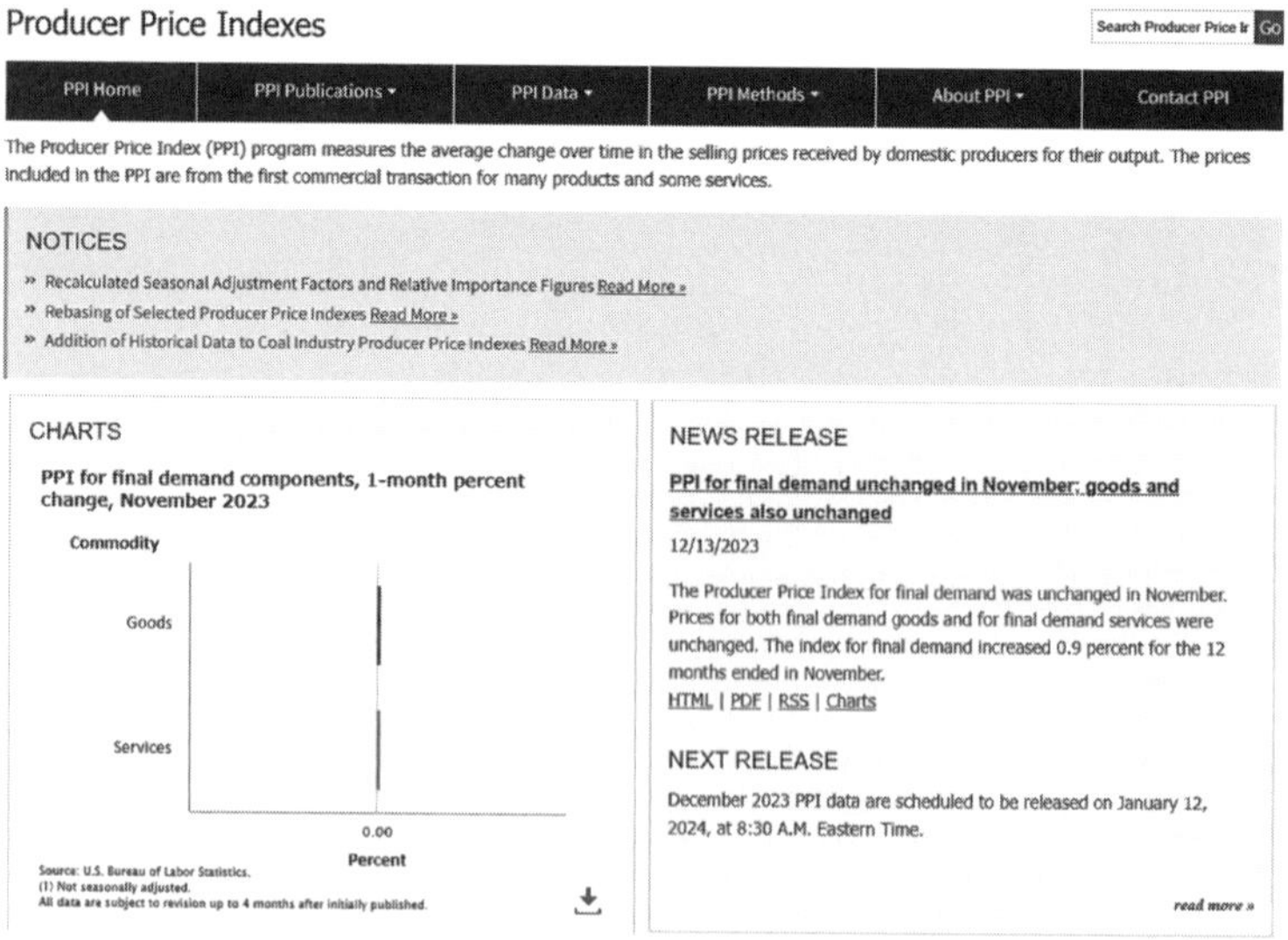

Producer Price Indexes
Search Producer Price Ir Go
PPI Home
PPI Publications
PPI Data
PPI Methods
About PPI
Contact PPI
The Producer Price Index (PPI) program measures the average change over time in the selling prices received by domestic producers for their output. The prices included in the PPI are from the first commercial transaction for many products and some services.
NOTICES
» Recalculated Seasonal Adjustment Factors and Relative Importance Figures Read More »
» Rebasing of Selected Producer Price Indexes Read More »
» Addition of Historical Data to Coal Industry Producer Price Indexes Read More »
CHARTS
PPI for final demand components, 1-month percent change, November 2023
Commodity
Goods
Services
0.00
Percent
Source: U.S. Bureau of Labor Statistics.
(1) Not seasonally adjusted.
All data are subject to revision up to 4 months after initially published.
NEWS RELEASE
PPI for final demand unchanged in November; goods and services also unchanged
12/13/2023
The Producer Price Index for final demand was unchanged in November. Prices for both final demand goods and for final demand services were unchanged. The index for final demand increased 0.9 percent for the 12 months ended in November.
HTML | PDF | RSS | Charts
NEXT RELEASE
December 2023 PPI data are scheduled to be released on January 12, 2024, at 8:30 A.M. Eastern Time.
read more »

出所：https://www.bls.gov/ppi/

価格にも注目が必要です。生産者レベル、卸売レベルのサービスとは、貿易や輸送、倉庫などの保管コストといったところが中心となります。

6-2-2　完成品に至るまでの製造過程によって、価格の先行性も変化する

生産者物価指数の場合、その製品が最終的な完成品に至るまでに様々な製造過程があり、それによって価格動向も変化していきます。そうした部分も、詳細に分類されています。大きく分けると、原材料となる非加工品(Unprocessed goods)、部品などまだ完成品には至っていない加工品(Processed goods)、そして完成品である最終需要(Final demand)です。

この中では非加工品の価格変動が一番激しく、また先行性があります。そして加工品、最終需要と段階を経ていくごとに価格の変動も穏やかになり、またコストの転嫁にも時間的な遅れが生じてきます。

生産者物価指数は物価の先行指標と説明しましたが、その中で分類されている項目によっても、先行度に差が生じます。製造業や流通に関する知識も必要とされる専門性の高い指標ということもできるでしょう。もっとも物価に関しては結局のところ、消費者が支払う価格が上がるか下がるか、という部分に行きつきます。生産者物価指数は、あくまでも先行指標として参考程度にチェックしておくのが、ちょうどよいでしょう。

6―3　個人消費価格指数は、ＦＲＢが注目する物価指標

先に紹介した物価指数は米労働省が集計・発表するものでしたが、米商務省が集計する物価指標もあります。それが、「個人消費価格指数（PCE Index）」です。翌月の月末近くに、個人所得や個人消費支出のデータと共に発表されます。

個人消費価格指数は、ＦＯＭＣ（連邦公開市場委員会）が金融政策を決定する際に参考にする物価指標として知られており、市場の注目度も高い指標です。ただ発表のタイミングが消費者物価指数などより遅いため、発表時には既に織り込み済みとなっていることが多く、またその性格上大きな変動が見られることが少ないので、実際の市場の反応は限定的なものにとどまることが多いのも事実です。

個人消費価格指数は、文字通り個人の消費動向に基づいて算出されます。先ほど、生産者物価指数は先行性がある一方で変動が激しいのに対し、消費者物価指数は小売店の企業努力で、価格の変動は穏やかになると説明しました。個人消費価格指数は、さらに価格の変動が抑えられ、先行性も薄れます。個人は実際に消費する際、価格の高いものを避ける傾向があります。価格が大きく上昇した商品に関しては、緊急性や絶対的な必要性がない限り消費を控え、購入を後回しにすることも多いでしょう。

変動が一番激しく先行性が強いのは、原材料となる原油や穀物などの商品市場です。そこから

名称	個人消費価格指数 （Personal consumption expenditures price indexes）
発表機関	商務省
発表時期	毎月月末
概要	個人の消費支出の変動分のうち、物価変動によるものを除くための指数
特徴	FOMCが金融政策を決定する際に参考にする物価指標

Personal Consumption Expenditures Price Index

Personal Consumption Expenditures Price Index

Change From Month One Year Ago	
November 2023	+2.6%
October 2023	+2.9%
September 2023	+3.4%
August 2023	+3.3%

The PCE price index, released each month in the Personal Income and Outlays report, reflects changes in the prices of goods and services purchased by consumers in the United States. Quarterly and annual data are included in the GDP release.

Current Release

Current release: December 22, 2023　Next release: January 26, 2024

出所：https://www.bea.gov/data/personal-consumption-expenditures-price-index

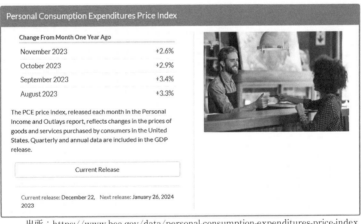

生産者物価指数、消費者物価指数、個人消費価格指数の順番に変動が穏やかになり、先行も薄れていきます。だからこそ個人消費価格指数が上昇を始めるというのは、インフレが待ったなしの状況にあるということができるのです。比較的ブレも少なく、FOMCも参考にしやすいのでしょう。

6-3-1 注目されるのは、やはり総合指数とコア指数

個人消費価格指数は個人所得や個人消費支出に付随した価格指数なので、ほかの物価指標ほどに項目は細かく分かれていません。耐久財(Durable goods)、非耐久財(Nondurable goods)といったモノ(Goods)の価格と、サービス(Services)の価格に分かれている程度です。もちろん、食料(Food)とエネルギー(Energy goods and services)を除いたコア指数(PCE excluding food and energy)は発表されます。他の物価指標同様、総合指数とコア指数には市場の注目が集まります。

6-4 輸入物価指数は、為替相場の影響を受けることに注意

このほかに物価動向を占う経済指標としては、「輸出入物価指数(Import / Export Price Indexes)」があります。米労働省が集計し、翌月の半ばあたりにCPIやPPIにやや遅れて発

名称	輸出入物価指数（Import/Export Price Indexes）
発表機関	労働省（Department of Labor）
発表時期	毎月中旬
概要	米国が輸出入した物品やサービスの価格変動
特徴	2000年を100として基準。生産者物価指数の先行指標として利用される

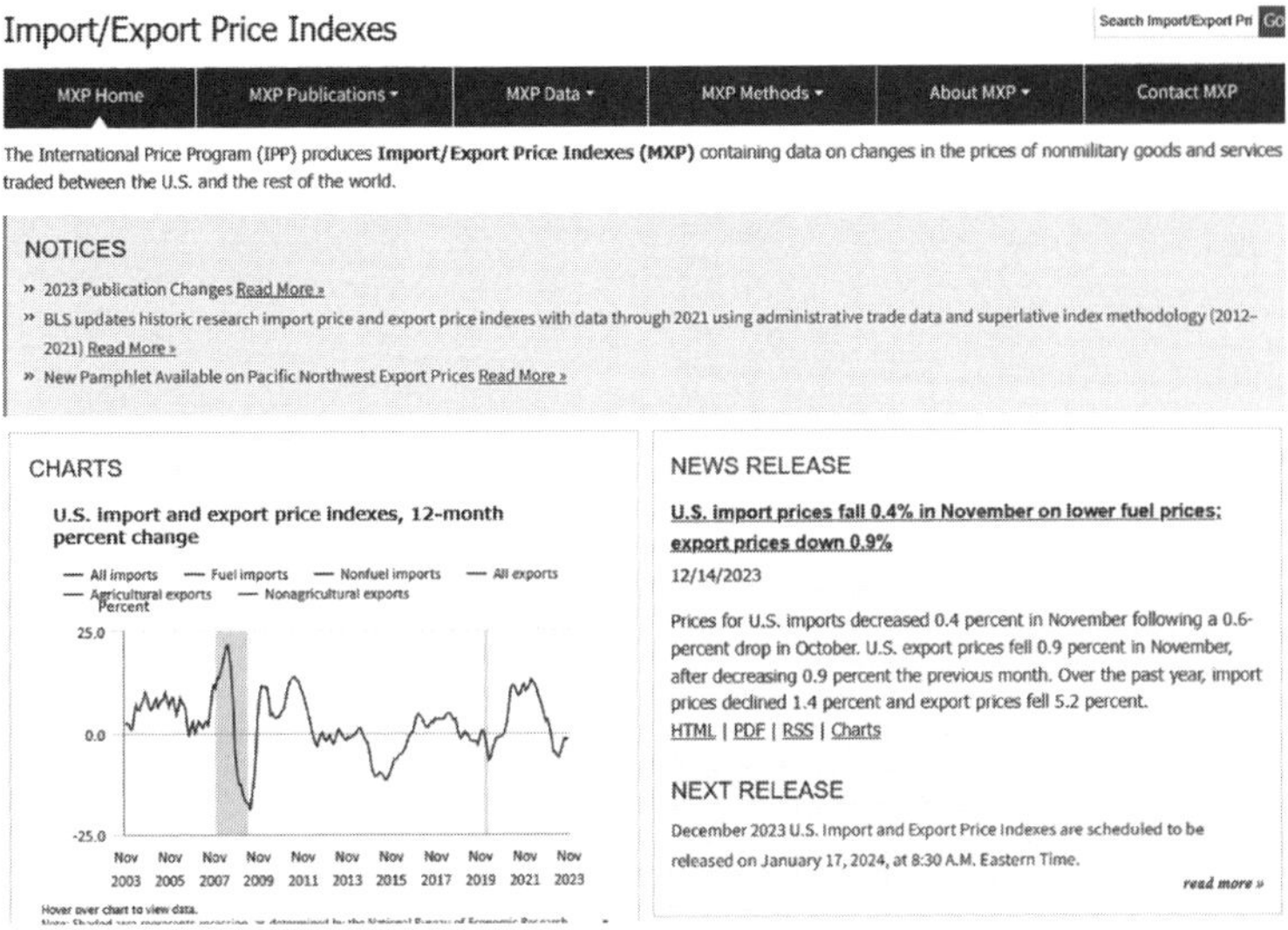

出所：https://www.bls.gov/mxp/

表されます。輸入品の価格動向と、輸出品の価格動向がそれぞれ指数化して発表されますが、米国内のインフレに影響するのは、輸入価格動向です。輸入品の価格が上昇すれば、それが原材料であれ完成品であり、米国内の価格の押し上げ要因となります。

輸入物価指数は、輸入先の国の通貨との為替相場の影響も受けることになります。ドル高が進めば、その分ドル建ての輸入品の価格は下がることになるからです。国内価格への影響は、その輸入品が国内の全体での流通量に対してどの程度の割合を占めているのかで変わってきます。その製品の輸入品に依存する割合が高ければ、輸入価格の上昇はそのまま国内のインフレにつながりますし、割合が低いのであればほとんど影響することはないでしょう。

6-4-1　輸入物価指数は、石油や燃料関連の影響が大きい

輸出入物価指数も、多くの項目に分かれています。輸入物価指数に関しては、「総合指数(All commodities)」と「石油関連製品を除いた指数(All imports excluding petroleum)」、「燃料を除いた指数(All imports excluding fuels)」が注目されます。

食品と燃料を除いた指数(All imports excluding food and fuels)も発表されますが米国は基本的に食料の輸出国であり、食糧輸入が全体に占める割合はそれほど高くないので、あまり注目されることはありません。このほかでは資本財(Capital goods)や自動車および部品(Automotive vehicles, parts & engines)、自動車関連を除いた一般消費財(Consumer goods, excluding automotives）もチェックしておいたほうがよいでしょう。一般消費財の価格は安定しており、大きく動くことはほとんどないですが、それだけに動きが見られたときは注意が必要です。

6-4-2　輸出物価指数では、農産物の価格動向が注目される

輸出物価指数では総合指数と「農産物（Agricultural commodities）」が注目されます。労働省のサイトで農産物の項目が上位に表示されることからも、米国の主力商品が農産物であることが見て取れると思います。

輸出品の価格が米国内の物価動向に影響を及ぼすことはあまりないので、これはインフレ指標というよりも、米国の景気動向を分析するうえで、米国の製品に対する外国の消費国の需要がどの程度強いのかを測る指標のひとつとして、とらえておいたほうがよいでしょう。

6-5　雇用コストに関連する指標は、長期的な物価トレンドを見るうえで重要

雇用コストに関連する物価指標は、長期的な物価トレンドを見るうえで非常に重要な経済指標になります。給料などの雇用コストは、一度上昇するとなかなか下がらない、粘着性のある物価

と位置付けられているからです。雇用市場が過熱し、給料などのコストが大きく上昇してしまうと、その後景気が悪化して雇用市場が冷え込んでも、なかなかコストが下がらないこともあり得るので注意が必要です。雇用コストを見るうえでは、雇用コスト指数と雇用統計の一項目である、時間あたり賃金をチェックすればよいでしょう。

6-5-1 雇用コスト指数は、四半期ごとに発表される物価指標

「雇用コスト指数(ECI：Employment Cost Index)」は、米労働省が四半期ごとに集計する経済指標です。基本的にはその四半期が終わった翌月の月末に発表されます。四半期毎の発表なので速報性に欠けることもあり、注目度は比較的低いということができるかもしれませんが、それでも大きな変動があれば市場の反応はかなり大きなものとなります。

雇用コスト指数も、様々な項目に分かれています。まず労働者に対する支払い(Compensation)の種類として、給与(Wages and salaries)と福利厚生(Benefits)に大きく分けられます。一方で雇用主の形態としては、民間企業(Private industry)と政府・公共機関(State and local government)に分かれています。

民間企業に関しては、さらに職種ごとの分類があり、主なものは管理職・専門職(Management, professional, and related)、セールス・一般事務(Sales and office)、天然資源・建設・保守(Natural resources, construction, and maintenance)、製造・運輸交通(Production, transportation, and

名称	雇用コスト指数（Employment Cost Index）/ECI
発表機関	労働省（Department of Labor）
発表時期	四半期毎、翌月末前後
概要	給与・福利厚生などの雇用コストを示した指数
特徴	全体の約7割を賃金・給与が占める

Search Employment Cos [Go]

ECI Home	ECI Publications ▾	ECI Data ▾	ECI Methods ▾	About ECI ▾	Contact ECI

The **Employment Cost Index (ECI)** measures the change in the hourly labor cost to employers over time. The ECI uses a fixed "basket" of labor to produce a pure cost change, free from the effects of workers moving between occupations and industries and includes both the cost of wages and salaries and the cost of benefits.

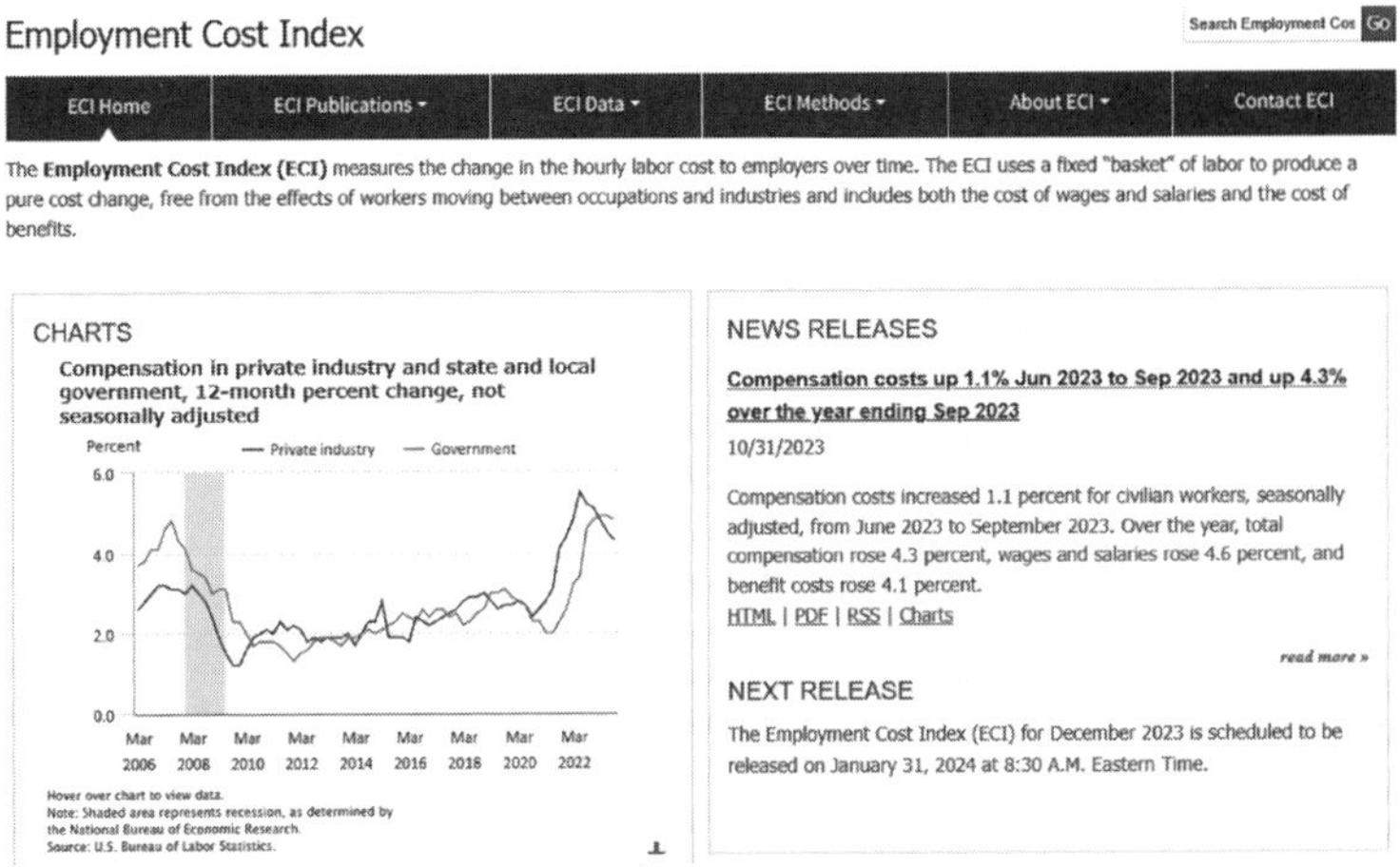

CHARTS

Compensation in private industry and state and local government, 12-month percent change, not seasonally adjusted

Hover over chart to view data.
Note: Shaded area represents recession, as determined by the National Bureau of Economic Research.
Source: U.S. Bureau of Labor Statistics.

NEWS RELEASES

Compensation costs up 1.1% Jun 2023 to Sep 2023 and up 4.3% over the year ending Sep 2023

10/31/2023

Compensation costs increased 1.1 percent for civilian workers, seasonally adjusted, from June 2023 to September 2023. Over the year, total compensation rose 4.3 percent, wages and salaries rose 4.6 percent, and benefit costs rose 4.1 percent.
HTML | PDF | RSS | Charts

read more »

NEXT RELEASE

The Employment Cost Index (ECI) for December 2023 is scheduled to be released on January 31, 2024 at 8:30 A.M. Eastern Time.

出所：https://www.bls.gov/eci/

material moving)、サービス職(Service occupations)となっています。

注目が一番集まるのは、やはり給与の動向ということになりますが、福利厚生もばかになりません。どちらも企業にとっては大きなコストであり、強い上昇が続くといずれそれをカバーするために製品の価格を引き上げざるを得なくなります。雇用コストが中長期的なインフレ要因として注目されているのは、このような理由からなのです。

6-5-2 時間当たり賃金は、雇用統計に含まれる物価指標

もうひとつ雇用コストを測る指標としては、雇用統計に含まれる平均賃金(Average hourly and weekly earnings)があります。項目としては1時間ごとの時間当たり賃金と週毎の賃金に分類されていますが、市場が主に注目するのは時間当たり賃金(Average hourly earnings)です。民間企業(Total private)の生産ラインに携わる従業員と、管理職ではない従業員(Production and nonsupervisory employees)の給与が対象となります。こちらは雇用統計同様、業種によって細かく分類されていますが、全体の指数に加え、製造業(Goods-producing)とサービス業(Private service-providing)の2項目をチェックしておけば十分でしょう。

6-6 企業や消費者の景況感指数の物価指数も、先行性が高い

物価動向を見るうえでは、企業や消費者の景況感指数も無視するわけにはいきません。こうした景況感指数にはサブ指数の中に価格指数が含まれており、これらは物価の先行指標として注目を集めているからです。

6-6-1　製造業景況感指数の価格指標では、支払い価格指数に注目

ＩＳＭをはじめとした民間の調査会社が発表する企業景況感指数（ＰＭＩ）や、フィラデルフィア連銀やＮＹ連銀などの地区連銀が発表する製造業の景況感指数には、項目のひとつとして価格指数が発表されています。価格指数は企業の担当者に対する聞き取り調査で、価格が前月に比べて上がったか・下がったのかについて質問項目に対する回答を集計したものです。

通常はＰＭＩなら50、地区連銀の調査であればゼロが分岐点で、それを上回った場合は前月から価格が上昇したと回答した企業が多かったということになり、将来的なインフレにつながる可能性が高いとされます。地区連銀の調査では、さらに企業が受け取る価格と支払う価格に分類していますが、企業のコストを見るうえでは支払い価格の方がより重要視されています。

6-6-2　ミシガン大消費者信頼感指数のインフレ見通しは、注目度が高い

一方、消費者の景況感指数における価格指標としては、なんといってもミシガン大消費者指数のインフレ見通し（Expected Changes in Inflation Rates）の注目度が群を抜いています。これは

名称	ミシガン大消費者信頼感指数
発表機関	ミシガン大学の調査研究センター
発表時期	速報値：第2または第3金曜日 確定値：最終金曜日
概要	速報値：毎月300人を対象 確報値：500人を対象
特徴	1966年を100として指数化

景況感調査を実施する消費者への質問項目で、向こう1年間と今後5年から10年間にインフレがどの程度進んでいるのかというものがあり、その回答を基に指数が算出されています。

質問では、それぞれの期間にインフレが下がっているか／横ばいか／上がっているかの選択肢があり、下がっているもしくは上がっていると回答した場合には、さらに前年比でどの程度の変化率になっているのかを聞かれます。

これは一般の消費者に対する聞き取り調査なので、都市部で生活する人々を除く多くの住民にとって生活必需品である、ガソリン価格の動向に大きな影響を受けるとされています。またＦＲＢが金融政策を決定するために重視する、市場のインフレ見通し(Infration Expectation)を推計するうえでの項目のひとつとして挙げられており、市場がこの数字に大きく反応する理由のひとつとなっています。

❖アドバイス❖

物価に関する経済指標は、新型コロナウイルスのパンデミックによって市場の注目度が一番大きく変化した指標と言えるでしょう。それまではいわゆる「ディスインフレ」の時代で、日本のように物価がじわじわと下がるデフレとまではいかなくとも、ほとんど物価の上昇を気にする必要のない、落ち着いた状況が長く続いていました。そのような状況下で消費者物価指数などにも注目が集まることはほとんどありませんでした。

それがパンデミックによってサプライチェーンが分断され、供給不安が高まる中で物価が上昇を始めました。米政府による過去に例のない規模の財政支出やＦＲＢによる大規模金融緩和策がそれを後押しし、さらにロシアによるウクライナ侵攻に伴う商品価格の急騰がとどめを刺す形でインフレが加速しました。

すると、物価関連指標は将来の経済動向を見極めるうえで極めて重要な経済指標となったのです。

中でも一番注目すべきは、やはり消費者物価指数（ＣＰＩ）でしょう。ＦＲＢが金融政策を決定する際に参考にしているとされている個人消費価格指数（PCE Index）も重要ですが、発表の時期が早いこともあり、市場への影響力はＣＰＩの方が遥かに大きいと思います。

ＣＰＩをはじめとした物価関連指標は、非常に奥が深いのも特徴です。モノ（財）の価格

や サービスの価格、変動の激しいエネルギー価格や食品価格、それらを除いたコア指数、家賃などの住居費に至るまで、カテゴリーは多岐に渡っており、それぞれが独自の変化の仕方をするために、なかなかこれだという決め手をつかむことができません。「これだけ多くのカテゴリーの中で、一体何に注目すればよいの？」と、戸惑う人も多いと思います。

実際、市場が注目するポイントも経済全体の状況に応じて刻一刻と変化しており、本当につかみどころのない指標なのですが、私が手掛かりとして注目することをお勧めしたい一つがＦＲＢ高官の言動です。結局のところ物価動向は、その国の中央銀行、ＦＲＢが金融政策を決定するうえでの決め手となるわけで、市場はＦＲＢの金融政策を見極める手段として、物価指標に注目していると言うこともできるでしょう。それならばＦＲＢが現在、物価指標のどの部分に注目しているのかを知ることができれば、我々も同じようにそれを追いかければよいということになります。

議長をはじめとしたＦＲＢ高官の発言は、そうした注目ポイントを窺い知るうえで非常に重要な参考となります。メディアは発言内容がタカ派だったかハト派だったかという点をどうしても大きく取り上げがちになりますが、そこはもう一歩踏み込んで、こうしたポイントにも注意を払いたいところです。

第7章

住宅に関する経済指標

・新築住宅建設状況（New Residential Construction）

・新築住宅販売（New Residential Sales）

・中古住宅販売（Existing Home Sales）

・住宅販売ペンディング指数（Pending Home Sales）

・ケース・シラー住宅価格指数
（S&P CoreLogic Case-Shiller Home Price Indices）

・FHFA住宅価格指数（FHFA House Price Index）

・住宅市場指数（HMI）NAHB/Wells Fargo Housing Market Index

・建設支出（Construction Spending）

本章では、住宅関連の指標を見ていきます。

住宅市場の動向も、景気に及ぼす影響は大きいと考えておいたほうがよいでしょう。住宅は取引金額も大きく、多くの消費者にとって一生ものの買い物です。住宅価格の上昇は、株価の上昇と同様に個人や企業の資産価値を大きく高めるので消費行動が活発になる傾向があります。逆に住宅市場が冷え込んで価格が下がってくれば、景気の足を引っ張ることになります。こうした影響は、「資産効果」と呼ばれています。

物価の章で指摘したように、住居費は一度上がったら下がりにくい粘着性のある物価項目とされているだけに、インフレ動向を見るうえでもとても重要です。また住宅の建設が活発になれば、建設資材の調達や建築関係者の雇用、さらには家具や電化製品の購入など、様々なセクターへの経済の波及効果が大きいこともしっかりと押さえておく必要があるでしょう。この章では、住宅に関連する様々な指標を解説していきたいと思います。

7－1　住宅着工件数と建築許可件数は今後の住宅建設のバロメーター

新築住宅建設状況(New Residential Construction)は、今後の住宅建設の動向を知るうえでの重要な経済指標となります。米商務省が集計し、翌月の第3週の半ばあたりに発表されます。現

名称	新築住宅建設状況（New Residential Construction）
発表機関	商務省（Department of Commerce）
発表時期	毎月第３週の半ば
概要	新築住宅の建設が、現在どの程度進行しているか
特徴	建築許可件数は、住宅建設の先行指標とされている

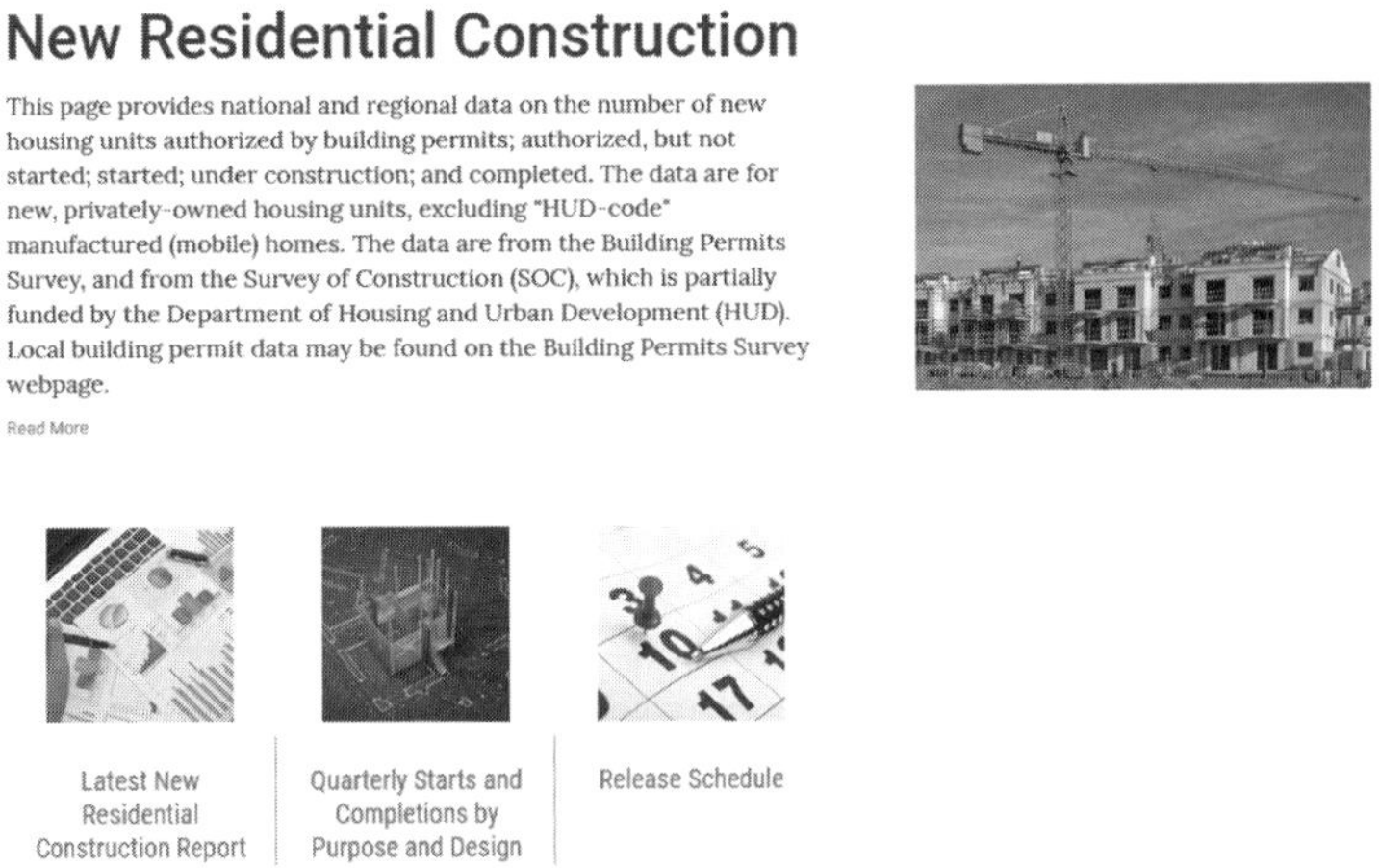
New Residential Construction
This page provides national and regional data on the number of new housing units authorized by building permits; authorized, but not started; started; under construction; and completed. The data are for new, privately-owned housing units, excluding "HUD-code" manufactured (mobile) homes. The data are from the Building Permits Survey, and from the Survey of Construction (SOC), which is partially funded by the Department of Housing and Urban Development (HUD). Local building permit data may be found on the Building Permits Survey webpage.
Read More
Latest New Residential Construction Report
Quarterly Starts and Completions by Purpose and Design
Release Schedule

出所：https://www.census.gov/construction/nrc/index.html

在どの程度の新築住宅が建設されているのかを、時系列に沿って知ることができます。

具体的には、建築許可件数(Authorized in Permit-Issuing Places)、未着工(Authorized, but Not Started)、新規着工件数(Started)、建設中(Under Construction)、そして完成(Completed)です。

米国で住宅を新規に建設するには、まず当局に建設の許可を申請する必要があります。許可が下りれば建設に着工します。上述の5つの項目は許可申請~完成までの各段階ごとの件数ということになります。このうち市場が注目するのは、「建築許可件数」と「新規着工件数」です。

7-1-1 建築許可件数は、新規住宅建設の先行指標

先でも言いましたとおり、住宅を新規に建築する際にはまず米住宅局(Department of Housing)に建築の許可を申請しなければなりません。このことから住宅建築許可件数は、住宅建設の先行指標として重要視されています。

住宅は、一戸建て住宅(Single Unit)と集合住宅(Multiple Unit)に分類されます。集合住宅はさらに、タウンハウスなどの2~4世帯の住宅と、アパートやコンドミニアムといった5世帯以上の大規模な集合住宅に分類されています。一戸建ては買い手が自分で居住することが多いですが、集合住宅、特に5世帯以上のものは投資目的での購入となります。

地域によっても分類されており、北東部(North-East)、中西部(Mid-West)、南部(South)、西

部（West）の大別された４地域の動向を知ることができます。建築許可件数は先行指標ですので、景気や住宅市場全体に影響が出始めるまでにはかなりの時間差があり、市場も住宅着工件数のほうを重視する傾向があります。しかし建築許可件数が変化すれば、その後必ず着工件数にも影響が出てくることは頭に入れておく必要があるでしょう。

7-1-2　住宅新規着工件数は、市場の注目度が一番高い

住宅建設の許可が無事下りれば、いよいよ建設開始です。住宅着工件数は、文字通り新規に建設が始まった数を示した経済指標です。建築許可件数と同じく一戸建てか集合住宅か、それと地域毎に分類されて発表されます。

住宅の建設が始まるということは、建設資材の調達や建築関係者の雇用、家具や電化製品の購入に至るまで、関連する様々なセクターの動向が活発になりますので、景気への影響も大きくなります。市場の注目度が高くなるのも当然ということができるでしょう。

ただし建築の許可が下りても、全ての住宅建設がすぐに着工するわけではありません。建設費用の調達が上手くいかなければ、建設を開始することもできないでしょう。特に大規模な集合住宅の場合は費用も巨額になりますので、そうした可能性は常に考慮する必要があります。建築許可を申請してから許可が下りるまでに経済が悪化するようなことがあれば、そのリスクも高くなります。極端な例でいえば開発業者が財政難に陥り、破綻してしまうこともあるかもしれません。

また北東部や中西部では、冬季の着工は天候の影響を受けやすくなることも覚えておく必要があります。積雪や悪天候によって建築が開始できない状況が続けば、それだけ着工件数は伸び悩むことになります。こうした物件は、未着工の項目に表れてきます。住宅着工件数を見る際には単に着工件数が増えた・減っただけではなく、先行指標である許可件数とのギャップにも注目しましょう。

7―2 住宅販売件数は、住宅に対する需要の強さを反映する

次に、住宅販売件数を見ていきます。住宅販売件数は、住宅に対する需要の強さを反映する指標です。住宅販売は、米商務省が発表する新築住宅販売(New Residential Sales)と、全米不動産協会(National Association of Realtors)が発表する中古住宅販売(Existing Home Sales)の二つに大別されます。

新築住宅販売は、主に建設業者が建てた新築住宅がどの程度販売されたのかを表す指標で、翌月の第4週に発表されます。中古住宅販売は、不動産業者などを通じて転売された住宅の戸数で、売り手が現在の居住者である場合が多いと考えておいたほうがよいでしょう。こちらも翌月の第4週に発表されます。

いくら業者が住宅を建設しても、需要がなければ売れません。中古住宅も同様に、持ち主が売りに出したとしても、買い手がつかなければ成約に至ることは難しいでしょう。住宅販売件数は、住宅への需要が強くなければ伸びることはありません。それはつまり景気動向や販売価格、個人の景況感に左右されやすい指標ということです。さらに中古住宅の販売のほうが、新築の販売よりも数が多く、市場も中古住宅の販売のほうを重視する傾向があります。

7-2-1　新築住宅販売は、意外に変動が激しい指標

新築住宅販売は全体の販売件数に加え、住宅着工件数同様に北東部、中西部、南部、西部の地域別の販売件数も発表されます。これらに加えて市場が注目するのは「住宅ストック（For sale）」と呼ばれる、売りに出されているにもかかわらず買い手がついていない住宅の数です。

これは住宅市場の需給バランスを反映しており、住宅ストックが現在、販売の何カ月分あるかという数字（Months' supply）で判断されます。ストックが下がるということは、それだけ住宅市場が逼迫していると判断することができるでしょう。

もうひとつ重要な項目は、住宅の販売価格です。これは中央値（Median sales price）と平均値（Average sales price）の２種類が発表されます。住宅市場が逼迫しストックが下がってくれば販売価格は上昇しますし、需給が緩めば価格も下がる傾向にあります。新築住宅の場合は売り手が開発業者であることが多いので、需給がだぶついてきた場合には値下げしても在庫を処分しよう

名称	新築住宅販売（New Residential Sales）
発表機関	商務省（Department of Commerce）
発表時期	翌月第４週
概要	全米、4つの地域別の新築住宅についての調査
特徴	中古住宅に比べて、数字の変動が大きい

New Residential Sales

This page provides national and regional data on the number of new single-family houses sold and for sale. It also provides national data on median and average prices, the number of houses sold and for sale by stage of construction, and other statistics. The data are from the Survey of Construction (SOC), which is partially funded by the Department of Housing and Urban Development (HUD).

Read More

Latest New Residential Sales Report

Quarterly Sales by Price and Financing

Release Schedule

出所：https://www.census.gov/construction/nrs/index.html

とする行動に出る傾向があります。このため、需要がなければ売り手がそのまま居住し続けることが多い中古住宅に比べて、意外に販売件数や販売価格の変動が大きいことは覚えておいたほうがよいでしょう。

7-2-2　中古住宅販売は件数も多く、市場の注目度も高い

中古住宅販売は新築に比べて販売件数も一桁違うほどに大きく、住宅市場の動向をより正確に反映していると言えます。市場も中古住宅のほうを重視しています。

新築住宅販売同様に全体の販売件数や地域別の販売件数、住宅ストック、販売価格が発表されます。販売価格は、2022年4月までは中央値と平均値の二つが発表されていましたが、以降は中央値(Median Price)のみの発表になりました。注目すべきは新築住宅販売同様に、全体の販売件数、住宅ストックが販売の何カ月分に相当するか、そして販売価格の3点でしょう。

中古住宅に関しては市況の悪化に伴って需要が鈍ってきた場合でも、売り手が居住者である場合にはそのまま住み続けるという選択肢がある分、販売価格が下がりにくい傾向があります。逆にいうと中古住宅販売が減少し価格も下がる局面は、住宅市場にとってかなり危機的な状況だということもできるでしょう。一方で、経済が好調ならば住宅への需要も増加、販売件数も販売価格も上がることになります。

名称	中古住宅販売（Existing Home Sales）
発表機関	全米不動産協会（National Association of Realtors）
発表時期	翌月25日前後
概要	中古住宅のうち、所有権移転が完了した販売件数
特徴	景気動向の先行指標として市場関係者から注目されているが、新築住宅販売に比べて1～2カ月の時差があるといわれている。

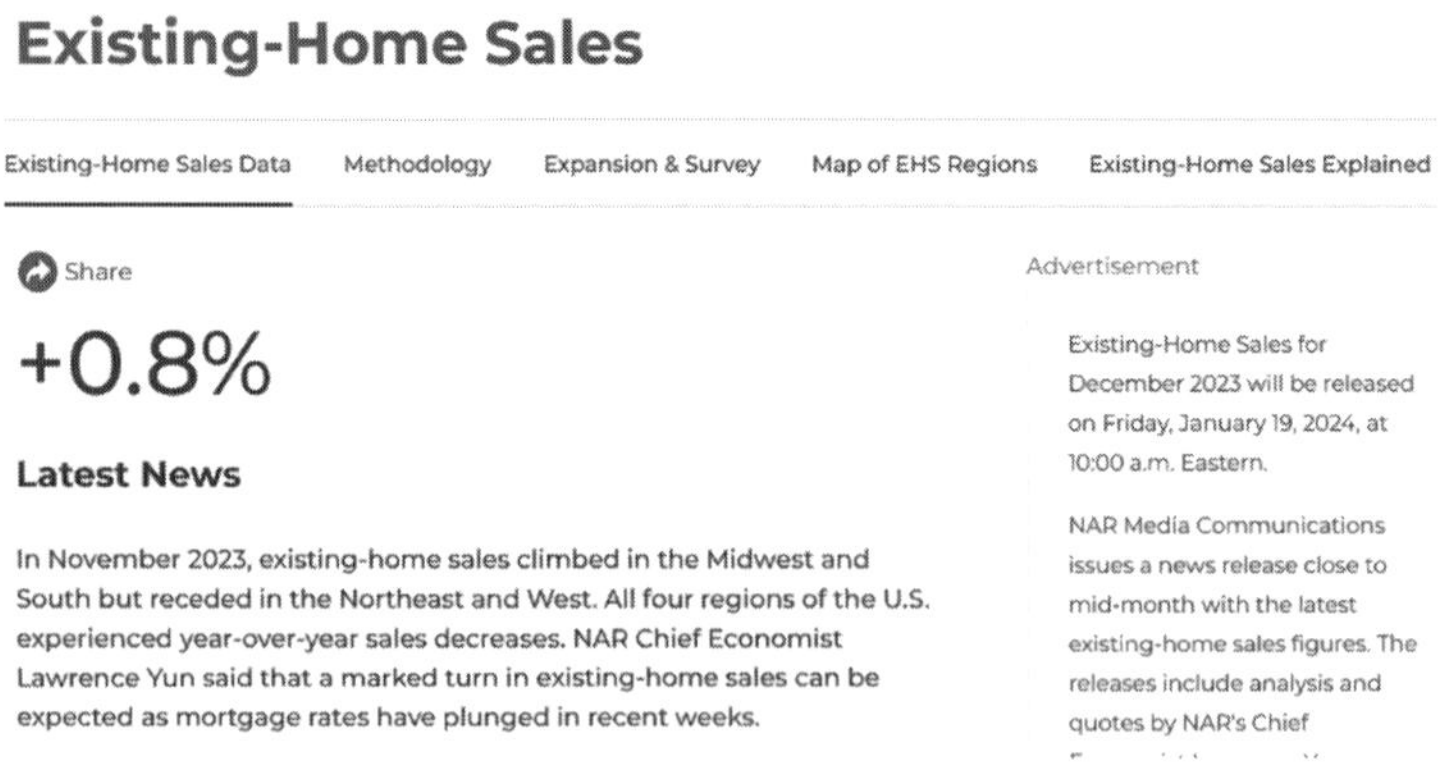
Existing-Home Sales

Existing-Home Sales Data　Methodology　Expansion & Survey　Map of EHS Regions　Existing-Home Sales Explained

Share

+0.8%

Latest News

In November 2023, existing-home sales climbed in the Midwest and South but receded in the Northeast and West. All four regions of the U.S. experienced year-over-year sales decreases. NAR Chief Economist Lawrence Yun said that a marked turn in existing-home sales can be expected as mortgage rates have plunged in recent weeks.

Advertisement

Existing-Home Sales for December 2023 will be released on Friday, January 19, 2024, at 10:00 a.m. Eastern.

NAR Media Communications issues a news release close to mid-month with the latest existing-home sales figures. The releases include analysis and quotes by NAR's Chief

出所：https://www.nar.realtor/research-and-statistics/housing-statistics/existing-home-sales

7-2-3　住宅販売ペンディング指数は、中古住宅販売の先行指標

住宅販売に関しては、もうひとつ注目すべき指標があります。中古住宅販売と同じく、全米不動産協会から発表される「住宅販売ペンディング指数（Pending Home Sales）」です。翌月の月末近くに発表されます。

中古住宅の販売は、売り手と買い手が交渉し、条件で合意すれば即契約成立というわけにはいきません。現金ですぐに決済というのなら話は別ですが、金額の張る取引なので、通常の場合は買い手が住宅ローンを組み、ローン会社の審査が通れば代金が支払われるという流れになります。住宅ローンを申請するためには、まず売り手と買い手の間で仮契約を結ぶ必要があります。その後、その仮契約に基づいて買い手は住宅ローンを申請、多くの場合は物件に何か構造的な問題がないか、業者を雇って調査をすることになります。

住宅販売ペンディング指数は、この仮契約の成約状況を指数化したものです。当然ながら住宅ローンの審査が通れば、仮契約はそのまま本契約となり販売が成立します。そのことから、中古住宅販売の先行指標と位置づけられているのです。通常の場合、仮契約が結ばれた内の80％以上が、その後１～２カ月の間に本契約に至るとされています。指数は基準年（２０２３年現在では２００１年）を１００として、調査月の成約状況を相対化した数字が表示されます。

名称	住宅販売ペンディング指数（Pending Home Sales）
発表機関	全米不動産協会（National Association of Realtors）
発表時期	翌月末
概要	仮契約の成約状況を指数化したもの
特徴	中古住宅販売の先行指標という位置づけ

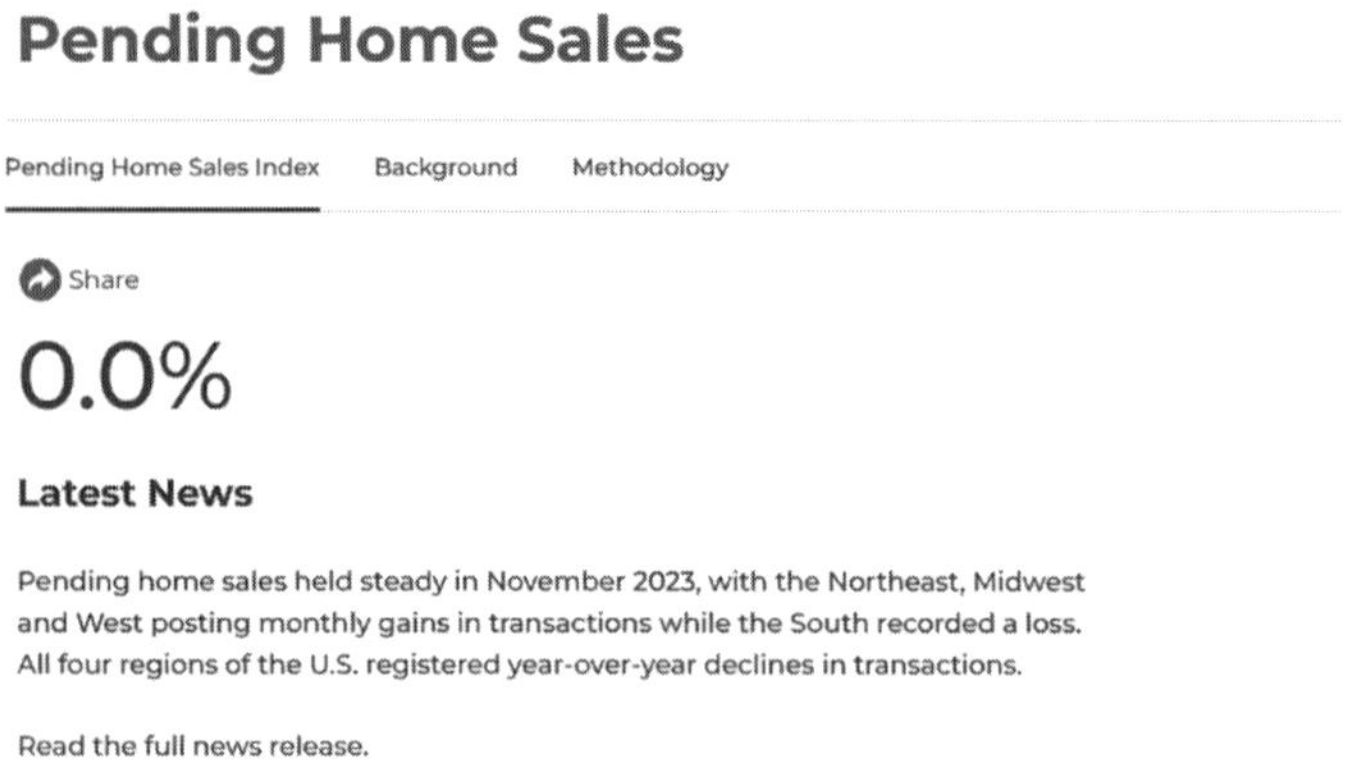

Pending Home Sales

Pending Home Sales Index　Background　Methodology

Share

0.0%

Latest News

Pending home sales held steady in November 2023, with the Northeast, Midwest and West posting monthly gains in transactions while the South recorded a loss. All four regions of the U.S. registered year-over-year declines in transactions.

Read the full news release.

出所：https://www.nar.realtor/research-and-statistics/housing-statistics/pending-home-sales

7－3　住宅価格指数は、発表のタイミングが遅いことを考慮する必要がある

住宅販売の項でも説明しましたが、住宅価格の変動は資産効果という形を通じて景気にも大きく影響するだけに、常に重要視しておくべきものです。

住宅価格の動向を表す指数には、代表的なものが二つあります。S&Pグローバルが発表する「ケース・シラー住宅価格指数(S&P CoreLogic Case-Shiller Home Price Indices)」と、住宅ローンなどの住宅関連の金融取引を監督する、米連邦住宅金融庁(FHFA：Federal Housing Finance Agency)が発表する「住宅価格指数(House Price Index)」です。どちらも翌々月の最終火曜日に発表されます。

住宅価格の変動は景気への影響が大きいことから、注目が必要な経済指標であることは間違いないのですが、翌々月の最終火曜日という発表のタイミングの遅さもあってか市場の反応はほとんど見られません。もともと住宅価格が、住宅市場の動向に対して遅行する傾向が強いうえに発表のタイミングも遅いので、データが出た際には全てが織り込み済みという格好となり、これまでの上昇を再確認する場としかならないことが多いからです。住宅価格指数を見る際には、この点を考慮に入れておく必要があるでしょう。

名称	ケース・シラー住宅価格指数 （S&P CoreLogic Case-Shiller Home Price Indices）
発表機関	S&P グローバル
発表時期	翌々月の最終火曜日
概要	調査対象地域の一定期間の住宅売買の再販価格を集計し算出される指数
特徴	米国の住宅価格の水準を示す指数

7-3-1 ケース・シラー住宅価格指数は、住宅価格指標の代表選手

ケース・シラー住宅価格指数は、経済学者のカール・ケースとロバート・シラーの二人が共同で開発した価格指数で、米国の主要都市の住宅価格の動向がまとめられています。発表当初は１９９０年１月の価格を基準に指数化した数値が発表されていましたが、２０２３年現在では基準値が２０００年１月に変更されています。

ケース博士は１９８０年代からボストンの住宅価格動向を調査していましたが、調査対象を20都市に拡大し、シラー博士とひとつの指数としてまとめ上げたのです。20都市とは、アトランタ／ボストン／シャーロット／シカゴ／クリーブランド／ダラス／デンバー／デトロイト／ラスベガス／ロサンジェルス／マイアミ／ミネアポリス／ニューヨーク／フェニックス／ポートランド／サンディエゴ／サンフランシスコ／シアトル／タンパ／ワシントンＤＣです。

指数はこのほか、全米の都市を対象としたものと10都市を対象

名称	FHFA住宅価格指数（FHFA House Price Index）
発表機関	米連邦住宅金融庁（FHFA）
発表時期	翌々月の最終火曜日
概要	調査対象地域の一定期間の住宅売買の再販価格を集計し算出される指数
特徴	米国の住宅価格の水準を示す指数

Monthly Price Change Estimates for U.S. and Census Divisions

Purchase-Only FHFA HPI® (Seasonally Adjusted, Nominal)

	U.S.	Pacific	Mountain	West North Central	West South Central	East North Central	East South Central	New England	Middle Atlantic	South Atlantic
Sep 23 - Oct 23	**0.3%**	**0.0%**	**-0.2%**	**0.2%**	**0.0%**	**0.8%**	**1.0%**	**-0.3%**	**1.1%**	**0.1%**
Aug 23 - Sep 23	**0.7%**	**-0.2%**	**0.8%**	**0.1%**	**0.9%**	**0.5%**	**0.9%**	**1.5%**	**0.2%**	**1.4%**
(Previous Estimate)	*0.6%*	*-0.4%*	*0.6%*	*0.3%*	*0.6%*	*0.4%*	*1.2%*	*1.6%*	*0.1%*	*1.4%*
Jul 23 - Aug 23	**0.7%**	**1.0%**	**0.8%**	**0.9%**	**0.4%**	**1.1%**	**0.4%**	**0.7%**	**1.2%**	**0.2%**
(Previous Estimate)	*0.7%*	*1.0%*	*0.8%*	*0.9%*	*0.4%*	*1.1%*	*0.4%*	*0.6%*	*1.2%*	*0.2%*
Jun 23 - Jul 23	**0.8%**	**0.4%**	**0.6%**	**0.8%**	**0.6%**	**1.2%**	**0.6%**	**1.1%**	**1.2%**	**0.9%**
(Previous Estimate)	*0.8%*	*0.4%*	*0.6%*	*0.7%*	*0.6%*	*1.1%*	*0.6%*	*1.1%*	*1.2%*	*1.0%*
May 23 - Jun 23	**0.5%**	**0.5%**	**0.9%**	**0.5%**	**-0.5%**	**0.0%**	**0.5%**	**2.2%**	**1.1%**	**0.9%**
(Previous Estimate)	*0.5%*	*0.6%*	*0.9%*	*0.5%*	*-0.6%*	*0.0%*	*0.5%*	*2.1%*	*1.0%*	*0.9%*
Apr 23 - May 23	**0.8%**	**1.7%**	**0.3%**	**0.7%**	**0.6%**	**1.2%**	**0.3%**	**-0.5%**	**0.0%**	**0.8%**
(Previous Estimate)	*0.8%*	*1.7%*	*0.4%*	*0.7%*	*0.7%*	*1.2%*	*0.3%*	*-0.7%*	*0.0%*	*0.8%*
12-Month Change: Oct 22 - Oct 23	**6.3%**	**2.8%**	**2.6%**	**6.4%**	**3.6%**	**9.1%**	**6.3%**	**9.7%**	**9.9%**	**7.2%**

出所：https://www.fhfa.gov/DataTools/Downloads/Pages/House-Price-Index.aspx

としたものがありますが、市場では20都市を対象とした指数に注目しています。

7-3-2　FHFA住宅価格指数は、地域毎に価格指数を算出

FHFA住宅価格指数はケース・シラーとは異なり、調査の対象は全米と9つの地区別となります。当初は四半期毎の発表でしたが、その後毎月発表されるようになりました。

9地区とは、西海岸／ロッキー山脈地帯／中西部西側(北部)／中西部東側(北部)／中西部西側(南部)／中西部東側(南部)／ニューイングランド地方／東海岸中部／東海岸南部となります。

7−4 住宅市場指数や建設支出も、できればチェックしておきたい

このほかにも住宅市場の動向を把握するうえで押さえておきたい経済指標はあります。市場の注目度はそれほど高くないかもしれませんが、様々な状況の変化をいち早くとらえるという点で、定点観測しておきたところです。ここでは、住宅市場指数(HMI：Housing Market Index)と建設支出(Construction Spending)を取り上げることにしましょう。

7−4−1 住宅価格指数は、住宅建設業者の景況感指数

住宅市場指数は、全米住宅建設業協会(NAHB：National Association of Home Builders)が、協会に加盟する住宅建設業者に対する聞き取り調査を通じて算出している経済指標です。その月の後半、前月の住宅着工件数の前日に発表されます。いわば、住宅建設業者の景況感指数ということができるでしょう。

多くの景況感指数同様に50がビジネスの拡大・縮小の分岐点で、50を超えると活況を呈しており、下回ると低調と定義づけられています。景況感指数ですので、今後の住宅建設の動向を知るうえでの先行指標になると考えてよいでしょう。

住宅市場指数の項目を見ると総合指数(ＨＭＩ)のほか、一戸建て住宅販売の現状を表した現状指数(Single Family Sales：Present)、半年後の状況を予想した期待指数(Single Family Sales：

名称	住宅市場指数（HMI） NAHB/Wells Fargo Housing Market Index
発表機関	全米住宅建設業協会 （National Association of Home Builders / NAHB）
発表時期	その月の後半、前月の住宅着工件数の前日
概要	約900の建築業者を対象とした調査。今後６カ月の住宅販売の予測アンケート
特徴	50を分岐点とし、住宅建設業社の景況感を示す

NAHB/Wells Fargo Housing Market Index (HMI)

Indices

Published
Nov 16, 2023

Share:

The NAHB/Wells Fargo Housing Market Index (HMI) is based on a monthly survey of NAHB members designed to take the pulse of the single-family housing market. The survey asks respondents to rate market conditions for the sale of new homes at the present time and in the next six months as well as the traffic of prospective buyers of new homes.

Current Data

- Table 1: NAHB/Wells Fargo National and Regional HMI - December 2023

Table 1. NAHB/Wells Fargo National and Regional Housing Market Index (HMI)

NATIONAL

(Seasonally Adjusted)	2022	2023												2024
	Dec.	Jan.	Feb.	Mar.	Apr.	May	Jun	Jul	Aug	Sep.	Oct.	Nov.	Dec. *Revised*	Jan. *Prelim.*
Housing Market Index	**31**	**35**	**42**	**44**	**45**	**50**	**55**	**56**	**50**	**44**	**40**	**34**	**37**	**44**
Housing Market Index Components														
Single Family Sales: Present	36	40	47	49	51	56	61	62	57	50	46	40	41	**48**
Single Family Sales: Next 6 Months	35	37	48	47	50	56	62	59	55	49	44	39	45	**57**
Traffic of Prospective Buyers	20	23	28	31	31	33	37	40	35	30	26	21	24	**29**

出所：https://www.nahb.org/news-and-economics/housing-economics/indices/housing-market-index

Next6 Months)、そして住宅購入を検討している見込み客がどの程度活発に物件探しをしているのかを表す見込顧客活況度指数(Traffic of Prospective Buyers)が発表されます。また住宅着工件数同様、北東部(North-East)/中西部(Mid-West)/南部(South)/西部(West)の4つの地域別の指標も発表されており、各地域の動向を窺い知ることができます。

7-4-2 建設支出は、商業用施設も含めた不動産の開発状況を確認できる

建設支出は米商務省が集計し、翌々月の第一営業日に発表します。建造物の建設に対して、実際にどの程度の金額が支払われたのかを知ることができます。

支出が行われるのは基本的にその建設の契約がまとまった後なので、先行指標とはなり得ませんが、現状を知るうえでは非常に重要なデータです。また建設費用として支払われたお金は、資材の購入や建設関係者の給与など様々な形で他のセクターに波及していくので、経済全体としてみれば先行指標的なとらえ方もできるのではないでしょうか。

項目を見ると、まずは建設全体の支出(Total Construction)があり、それは目的別に住宅への支出(Residential)と商業施設や道路などのインフラといった住宅以外への支出(Nonresidential)の二つに分類されます。一方では誰が予算を出しているのかによって、民間部門(Total Private Construction)と公共部門(Total Public Construction)にも分類されており、それぞれ住宅への支出と、住宅以外への支出に分類されています。

名称	建設支出（Construction Spending）
発表機関	商務省（Department of Commerce）
発表時期	毎月第1営業日
概要	国内で着工された住宅、商業施設、公共施設の建設に掛かった建設会社の費用を集計した経済統計
特徴	GDPや景気動向を占う指標とされる

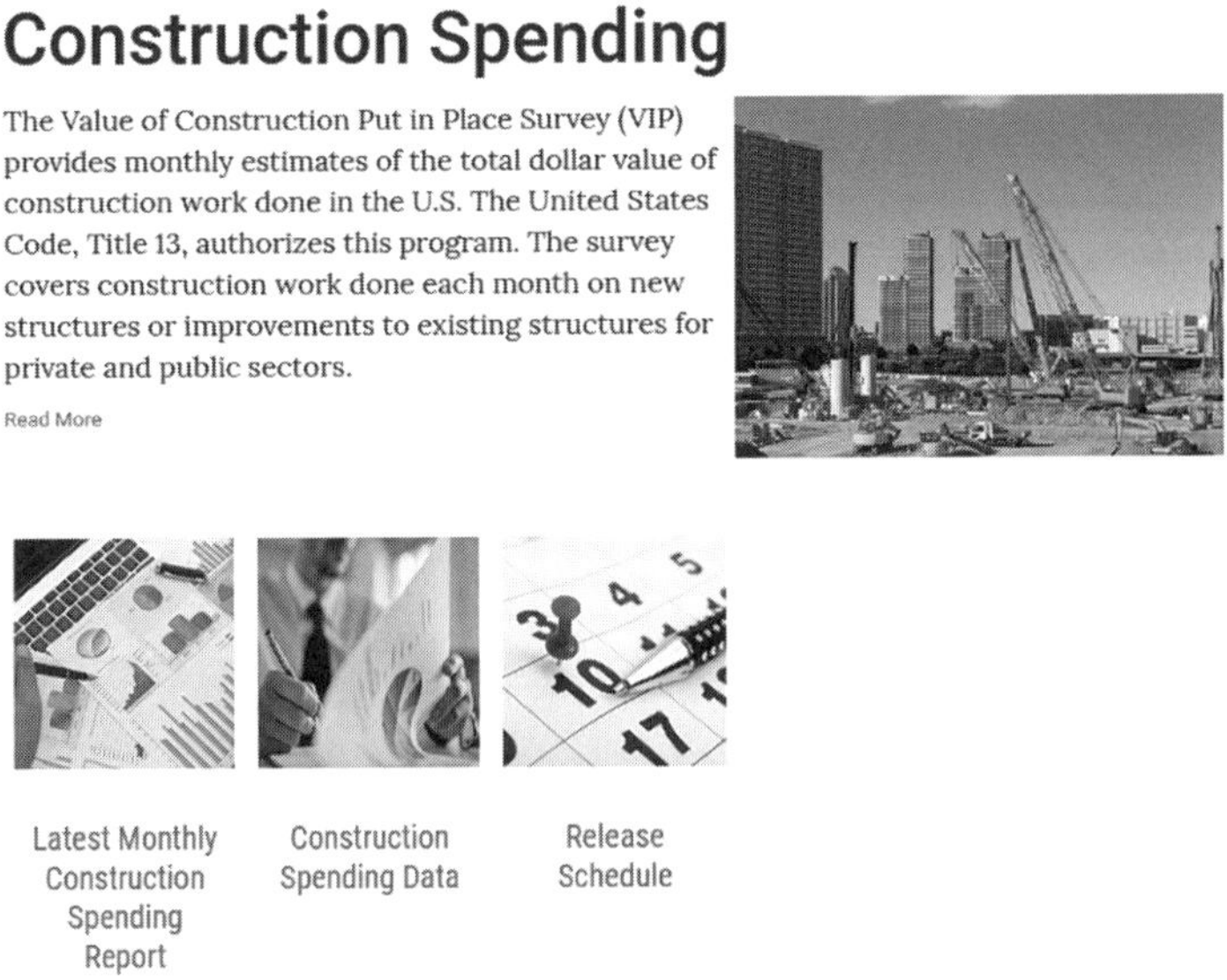
Construction Spending
The Value of Construction Put in Place Survey (VIP) provides monthly estimates of the total dollar value of construction work done in the U.S. The United States Code, Title 13, authorizes this program. The survey covers construction work done each month on new structures or improvements to existing structures for private and public sectors.
Read More
Latest Monthly Construction Spending Report
Construction Spending Data
Release Schedule

出所：https://www.census.gov/construction/c30/c30index.html

住宅市場の動向を見るうえでは、民間部門の住宅への支出に注目しておけばよいでしょう。この項目はさらに、一戸建て住宅（New single family）と集合住宅（New multifamily）に分かれています。

❖アドバイス❖

住宅に関する指標は、正直いって私の中では重要度の低い経済指標です。もちろん住宅市場の動向は景気動向にも大きく影響するのですが、不動産という言葉からも分かるように、やはり動きが鈍い市場なのです。それだけに相場への影響力も比較的小さく、市場がこの数字を見て大きく動くこともあまりないというのが実際のところです。

また基本的に住宅の購入は金額が大きくなるので、金利の動向の影響をどうしても受けやすくなります。長期金利が上昇するときには住宅ローン金利も上がり、ローン会社の信用調査も厳しくなる傾向にありますから、金利の負担分を賄えない人や信用力が低くてローンが通らない人が増加、全体的に住宅市場は落ち込みます。

金利が低下してくると、こうした人々も住宅の購入が可能になりますから、市場は活性化します。サブプライム・ローンという形で、本来ならばローンを組めない人々までもが住宅を買うことができるようになったことで需要が急増、膨大な住宅バブルを作り出したリーマン・ショックまでの市場の過熱は、その典型的な例と言えるでしょう。

こういうことを踏まえたうえで、一つだけ注目すべきデータがあるとすれば、それは新築や中古住宅の販売件数や着工件数ではなく、住宅価格の動向です。住宅価格が大きく上昇すると、個人も企業もどちらかというと気が大きく楽観的になり、消費や支出が増える傾向があるからです。いわゆる「資産効果」です。逆に住宅価格が大幅に下がるときというのは、消費者心理が急速に悪化、個人消費の減少につれて景気が急速に落ち込むリスクが高くなります。

住宅バブルの崩壊を伴う景気の減速局面は、株価の調整もきつくなる恐れが高いので十分な注意が必要でしょう。住宅価格指数は該当する月から2カ月近く遅れて発表されるので使いにくい部分もあるのですが、しっかりと押さえておきたいところです。

第8章

注目すべき経済指標は、まだまだある

・景気先行指数（The Leading Economic Index）

・貿易収支（International Trade in Goods and Services）

・経常収支（International Transactions）

・財政収支（Monthly Treasury Statement）

・マネーストック（Money Stock Measures）

ここまで様々な経済セクターに分類する形で注目すべき経済指標を紹介してきましたが、これらのカテゴリーに収まらない経済指標も多くあります。本章では、それらを順番に見ていきましょう。

8－1　景気の先行きを読むうえで重要かつ、非常に便利な経済指標

景気先行指数（Leading Economic Index）は、景気の先行きを読むうえで重要かつ非常に便利な経済指標です。シンクタンクのカンファレンスボードが集計し、基本的には翌月の第３木曜日に発表します。

8－1－1　景気先行指数は、景気に先行する指標をまとめて指数化

景気先行指数は、景気に先行するとされている10種類の経済データをまとめて指数化したものです。

■10項目の内訳

(1)先行クレジット指数（Leading Credit Index）

(2)ISM 新規受注(SM Index of New Orders)
(3)非防衛資本財新規受注
(Manufacturers' new orders for non-defense capital goods excluding aircraft orders)
(4)株価(S&P 500 Index of Stock Prices)
(5)一般消費財新規受注(Manufacturers' new orders for consumer goods and materials)
(6)消費者期待指数(Average consumer expectations for business conditions)
(7)製造業週平均労働時間(Average weekly hours in manufacturing)
(8)長短金利差(10年債-FFレート)
(Interest rate spread - 10-year Treasury bonds less federal funds rate)
(9)住宅建築許可件数(Building permits for new private housing units)
(10)失業保険新規申請件数(Average weekly initial claims for unemployment insurance)

これらは基本的に、既に発表されたデータを集計して指数化するだけなので、独自に算出しようとすればできないものではありません。ですが、これら10項目を自分で細かくチェックするのは手間と時間がかかるだけで非効率的です。市場の注目度も高いですから、積極的に活用しない手はありません。

指数が前月比で上昇しているときは、この先経済活動が活発になることを意味しています。反

名称	景気先行指数（The Leading Economic Index）
発表機関	カンファレンスボード（Conference Board）
発表時期	基本的に翌日の第3木曜前後、例外あり
概要	週平均労働時間、受注、マネーサプライ、株価など、10項目の要因から算出した指数
特徴	先行指数のほかに一致指数、遅行指数もある

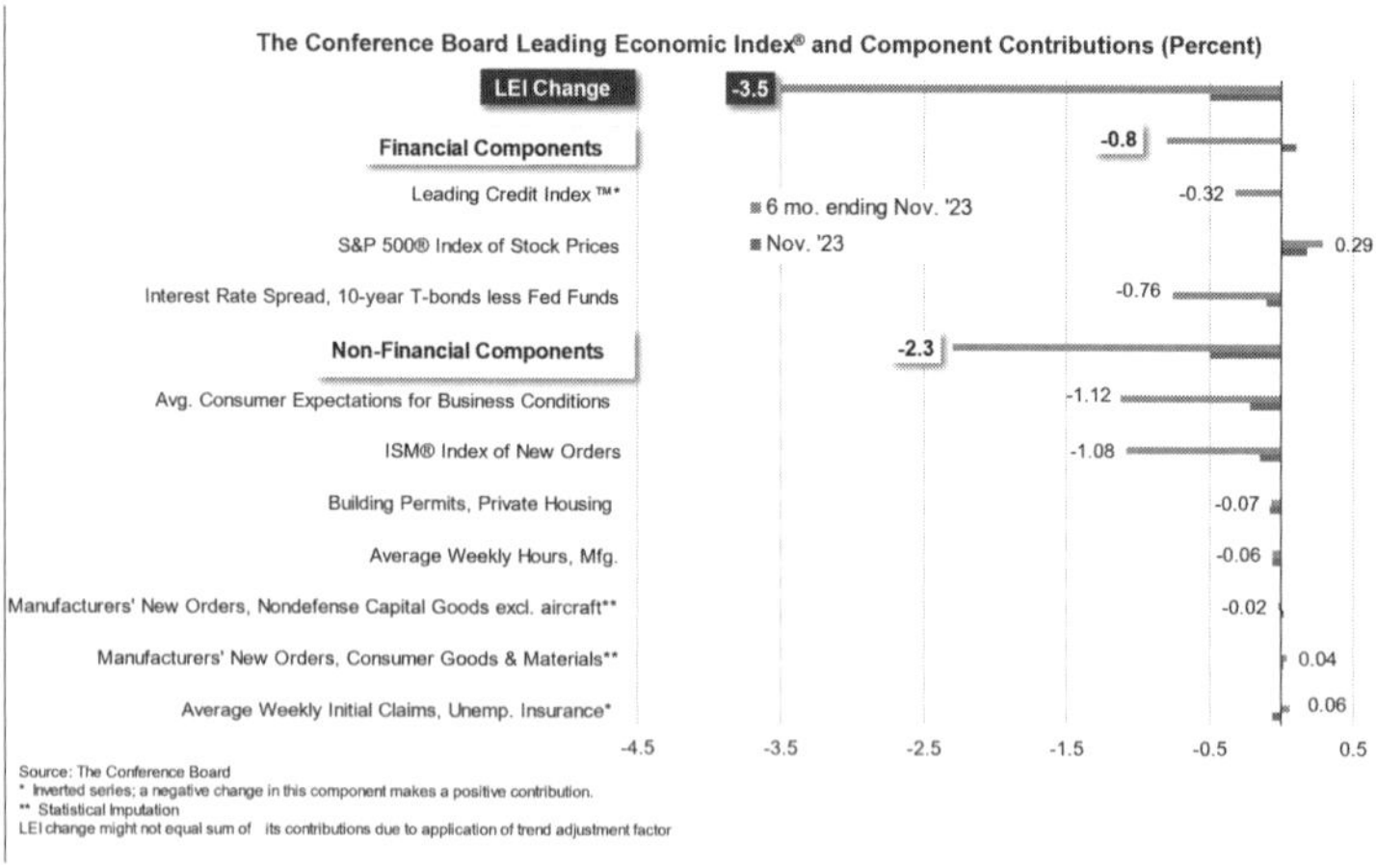

出所：https://www.conference-board.org/topics/us-leading-indicators

対に低下するときには、今後景気が悪化する可能性が高いということになります。カンファレンスボードでは、指数が過去６カ月間に４・２％以上低下した場合、リセッション（景気後退）に陥る可能性が高いと定義付けています。

8-1-2　景気一致指数や景気遅行指数にも、一応目を通しておこう

カンファレンスボードでは景気先行指数と同時に、「景気一致指数（Coincident Economic Index）」と「景気遅行指数（Leading Economic Index）」も発表しています。景気先行指数ほど市場の注目度は高くありませんが、一応目を通しておきたいところです。

景気一致指数は、景気の動向と並行して変化するデータを集計して指数化したものです。データの内訳は次の４つです。

・非農業雇用数（Employees on nonagricultural payrolls）
・失業保険などの給付を除く個人所得（Personal income less transfer payments）
・製造業の貿易や売上高（manufacturing trade and sales）
・鉱工業生産（Industrial production）

景気遅行指数は、景気の動向に遅れて変化が表れるデータを集計して指数化しています。デー

タは次の7つです。

・製造業と貿易業の在庫率（Inventories to sales ratio, manufacturing and trade）
・失業者が次の仕事を見つけるまでの平均期間（Average duration of unemployment）
・消費者のクレジット残高の所得に対する割合
（Consumer installment credit outstanding to personal income ratio）
・商業用及び工業用ローン（Commercial and industrial loans）
・最優遇貸出金利（Average prime rate）
・製造業の単位労働コスト（Labor cost per unit of output, manufacturing）
・消費者物価指数のサービス指数（Consumer price index for services）

8－2　国際収支は、以前ほど影響力をもたなくなった

貿易収支や経常収支といった国際間のモノやサービス、資本の移動を示す経済指標は一昔前までは為替動向に大きく影響するとして市場の注目度もかなり高かったのですが、最近はそれほど重要視されなくなっています。為替取引が一般の投資家の間に広まったこともあり、為替市場の

動向を決定付ける要因として、国際間の資本移動の重要度が下がったことが背景のひとつになっているのでしょう。だからといって、国際収支のデータを全く無視してよいわけではありません。そこで、基本的なデータの見方を整理しておきましょう。

8-2-1　貿易収支では、収支バランスのみならず全体の取引量も重要

貿易収支（International Trade in Goods and Services）は米商務省が集計、翌々月の第１週か２週目に発表されます。発表のタイミングは、他の経済指標に比べると少し遅めです。米国が外国とモノ（Goods）やサービス（Services）を取引する際、外国に販売する額（輸出-Export）と外国から購入する額（輸入-Imports）の差額が貿易収支です。

米国は現在、輸入額が輸出額を大幅に上回っており、慢性的な貿易赤字の国です。このうちモ・ノ・だ・け・の・貿・易・収・支に関しては、10日ほど早く速報値が発表されます。

モノとサービスとに分けて見ると、モノの収支が大幅な赤字となっているのに対し、サービスの収支は黒字となっています。モノに関しては、石油や石油製品（Petroleum）と、それ以外（Non-petroleum）の収支とを分けて見ることが多いほか、最終的な消費のカテゴリーとして、食品、飼料、飲料（Foods, Feeds, & Beverages）、工業製品（Industrial Supplies）、資本財（Capital Goods）、自動車及び部品（Automotive Vehicles, etc.）、一般消費財（Consumer Goods）、その他（Other Goods）という項目に分けて見ることもあります。

名称	貿易収支（International Trade in Goods and Services）
発表機関	商務省（Department of Commerce）
発表時期	翌々月の第１週か２週目
概要	外国に販売する額（輸出-Export）と外国から購入する額（輸入-Imports）の差額
特徴	米国の貿易赤字が恒常化しているため、相場へのインパクトは軽微

International Trade in Goods and Services

U.S. International Trade in Goods and Services, November 2023

November 2023	-$63.2 B
October 2023	-$64.5 B

The U.S. monthly international trade deficit decreased in November 2023 according to the U.S. Bureau of Economic Analysis and the U.S. Census Bureau. The deficit decreased from $64.5 billion in October (revised) to $63.2 billion in November, as imports decreased more than exports. The goods deficit decreased $0.6 billion in November to $89.4 billion. The services surplus increased $0.7 billion in November to $26.2 billion.

Current Release

Current Release: January 9, 2024　　Next release: February 7, 2024

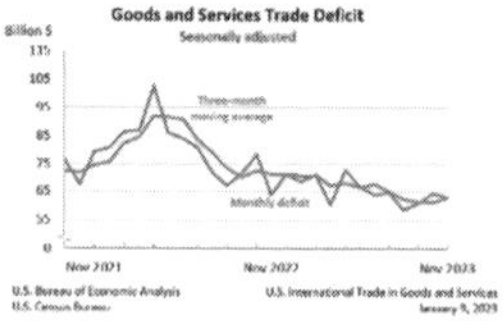

出所：https://www.bea.gov/data/intl-trade-investment/international-trade-goods-and-services

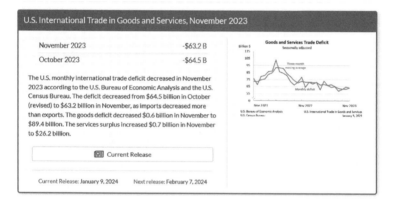

このほか、取引相手国別の貿易収支にも注目が集まります。米国の貿易赤字が大きい相手国としては中国がダントツで、その次にメキシコ向けの赤字もかなりの額になっています。

貿易収支は、赤字がどの程度拡大したか・縮小したかといった収支バランスに目が行きがちですが、輸出がどの程度増加したか、輸入の伸びがどの程度鈍化したか、といった全体の取引額の変化もしっかりとチェックしておきましょう。取引額の変化は、米国経済がどの程度活発かを知るための手掛かりのひとつとなるからです。

8-2-2　経常収支は、貿易収支に所得（資本）の移動を加えたもの

経常収支(International Transactions)は、貿易収支に所得(資本)の移動を加えたものです。一般的には、Current Accountと呼ばれています。

所得には投資収益(Investment income)や従業員の報酬(Compensation of employees)といった「一次所得（Primary income payments)」と「二次所得（Secondary income payments)」に分類されます。二次所得には、年金の支払いや政府の補助金、罰金や税金、保険の支払いや個人的な送金などが含まれます。

名称	経常収支（International Transactions）
発表機関	商務省（Department of Commerce）
発表時期	四半期毎の翌々月20日前後
概要	貿易収支に所得（資本）の移動を加えたもの
特徴	貿易収支に比べると赤字額が少ないことが多い

International Transactions

U.S. International Transactions, 3rd Quarter 2023

Q3 2023	-$200.3 B
Q2 2023	-$216.8 B

The U.S. current-account deficit narrowed by $16.5 billion, or 7.6 percent, to $200.3 billion in the third quarter of 2023, according to statistics released today by the U.S. Bureau of Economic Analysis. The revised second-quarter deficit was $216.8 billion. The third-quarter deficit was 2.9 percent of current-dollar gross domestic product, down from 3.2 percent in the second quarter.

Current Release

Current Release: December 20, 2023　　Next Release: March 21, 2024

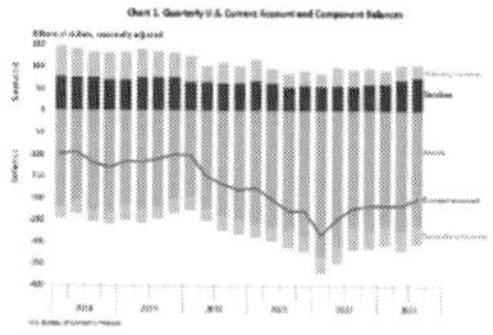

出所：https://www.bea.gov/data/intl-trade-investment/international-transactions

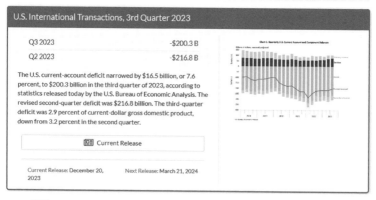

8－3　財政収支が材料視されることは滅多にないが、傾向はチェックしておくべき

財政収支(Monthly Treasury Statement)は、毎月の米政府の財政状況を知るための経済指標です。米財務省が、翌月の第8営業日に発表します。

その月にどの程度の歳入と歳出があったのかが記されており、歳入から歳出を引いてプラスになれば、その月の財政は黒字、マイナスなら赤字となります。歳入は主に税収ですが、これは月によって大きく変動します。

米国人や企業はその年に支払うべき所得税の税額を予想し、4回に分割して支払う義務を負っているからです。毎年1、4、6、9月がその支払い月に当たるため、それらの月の歳入は増加、財政収支も黒字になります。こういう理由から、財政収支を前月の比較することは意味がありません。比較するのは、前年同月からどの程度変化したかということになります。

名称	財政収支（Monthly Treasury Statement）
発表機関	財務省（Department of Treasury）
発表時期	翌月の第８営業日
概要	毎月の米政府の財政状況を知るための経済指標
特徴	前年同月からどの程度変化したかが重要

MONTHLY STATEMENT OF THE PUBLIC DEBT OF THE UNITED STATES

DECEMBER 31, 2023

(Details may not add to totals)

TABLE I -- SUMMARY OF TREASURY SECURITIES OUTSTANDING, DECEMBER 31, 2023

(Millions of dollars)

	Amount Outstanding		
	Debt Held By the Public	Intragovernmental Holdings	Totals
Marketable:			
Bills	5,674,825	956	5,675,781
Notes	13,753,526	4,678	13,758,205
Bonds	4,347,388	7,165	4,354,553
Treasury Inflation-Protected Securities	2,005,719	505	2,006,224
Floating Rate Notes [20]	571,425	27	571,453
Federal Financing Bank [1]	0	5,492	5,492
Total Marketable [a]	**26,352,885**	**18,823** [2]	**26,371,708**
Nonmarketable:			
Domestic Series	17,293	0	17,293
State and Local Government Series	91,536	0	91,536
United States Savings Securities	171,964	0	171,964
Government Account Series	300,581	7,044,153	7,344,733
Other	4,260	0	4,260
Total Nonmarketable [b]	**585,633**	**7,044,153**	**7,629,786**
Total Public Debt Outstanding	**26,938,518**	**7,062,976**	**34,001,494**

出所：https://www.fiscal.treasury.gov/reports-statements/mts/

8-4　マネーストックは市場の流動性を知るための、代表的な経済指標

マネーストック(Money Stock Measures)は市場の流動性(Liquidity)、現時点で市場にどの程度のマネーが流通しているのかを知ための、代表的な経済指標です。米連邦制度理事会(FRB：The Board of Governors of The Federal Reserve System)が集計し、翌月の第4火曜日に発表します。FRBが発表する主なデータは2種類で「M1」「M2」と呼ばれています。

M1は、現金と流動性の高い要求払預金(Demand Deposit)の合計となります。要求払預金とは、普通預金や当座預金など、預金者の要求によってすぐに引き出すことのできる銀行預金を指します。

M2は、M1に小規模の定期預金やマネーマーケットファンド(MMF)など、すぐに引き出すことは難しいものの比較的容易に現金化することのできるものを加えたもので、市場ではM2の額を重要視しています。

FRBが金融緩和策を進めるということはすなわち、市場へのマネーの供給を増やすということになります。政策金利を引き下げることでも供給量は増えますし、米国政府が発行する国債を購入するなどの量的緩和策を行えば、増加のペースが加速します。

市場に大量のマネーが供給され、金余りの状態になると、資金は株式や不動産をはじめとした投資商品に流れ、資産価格全体を押し上げることになります。また消費者の購買能力も高まりま

名称	マネーストック（Money Stock Measures）
発表機関	米連邦制度理事会（FRB）
発表時期	翌月の第４火曜日
概要	現時点で市場にどの程度のマネーが流通しているか
特徴	「M1」「M2」のデータがある

Money Stock Measures - H.6 Release

Current Release　**Release Dates**　About　Announcements　Technical Q&As

Release Dates　RSS　Data Download

These data are released on the fourth Tuesday of every month, generally at 1:00 p.m. Publication may be shifted to the next business day when the regular publication date falls on a federal holiday.

2023	
December	26*
November	28
October	24
September	26
August	22
July	25
June	27
May	23
April	25
March	28
February	28
January	24

2022	
December	27
November	22
October	25
September	27
August	23
July	26
June	28
May	24
April	26
March	22
February	22
January	25

出所：https://www.federalreserve.gov/releases/h6/

すから、需要の増加に伴う物価の上昇やインフレの要因にもなります。もちろんＦＲＢが金融引き締め策を行えば市場からマネーが流出しますので、まったく逆の現象が見られることになります。

ただ、こうしたＦＲＢの金融政策というのは、実際の効果が表れるまでに幾らかの時間的なズレ（タイムラグ）があるのが通常です。緩和策を進めてもすぐにマネーの供給量が増えるわけではありませんし、引き締め策を行ってもしばらくは市場にマネーが潤沢にある状態が続きます。

マネーストックはＦＲＢの金融政策の効果が実際にどの程度表れているのかを知るための経済指標ということができるでしょう。

通常、市場に対するマネーの供給量というのは、その国の経済成長率と同程度に増えていくとされています。米国のＧＤＰが前年比で４％増えるのであれば、マネーの供給量も４％程度増えるということです。Ｍ１やＭ２がこれを上回るペースで増加するのであれば、マネーは供給過剰状態にあり、資産価格の上昇をもたらしますし、マネーの増加ペースがＧＤＰを下回るなら、市場の過熱も抑えられると考えてよいでしょう。

❖アドバイス❖

この章で取り上げた経済指標で、実際のトレードや投資判断に直接役立つものといえば、やはり景気先行指数でしょう。貿易収支や経常収支は、もちろん景気動向を見るうえで参考にはしますが、市場の注目度もそれほど高いわけではなく、この数字が決め手となって投資の判断をすることもあまりありません。マネーストックは、市場に資金が潤沢に供給されているかをチェックするという点では重要ですが、短期的な判断を下す材料となることはないでしょう。

景気先行指数は、それ自体を投資判断の手掛かりにするという点でももちろんですが、景気の先行きを知るうえで、どのような経済指標に注目しておけばよいのかをしっかと示してくれるという点でも大変有用な経済指標です。

分析をするための十分な時間がなければ、総合指数の変化を見て、現在景気が良くなっているのか悪化しているのかを知ることができます。またレポートの詳細を見れば、その構成要素である10の経済指標のうち、何と何がプラスに作用して、何がマイナスに作用しているのかも知ることができますから、そこからさらに突っ込んだ分析もできるでしょう。

この経済指標がどうして景気に先行して動くのかを考えることで、経済指標そのものや経済の成り立ちについての造詣を深めることにも役立ちます。市場の反応はそれほど大きくはありませんし、注目度も決して高いとは言えませんが、経済を勉強したければこの指標を深く掘り下げることをお勧めします。

第9章

金利市場からも、景気の動向を読み取ることができる

ここからは経済指標ではありませんが、経済指標と同様にあるいはそれ以上に景気の動向を反映し、なおかつ市場への影響も大きい材料を紹介したいと思います。

まずは、米長期金利の動向に注目することとしましょう。

9－1　景気拡大局面での金利上昇は、良い金利上昇

金利とは、資金を必要とする個人または企業が、金融機関などの貸し手からお金を借りる際に支払う対価です。金利は、様々な要因によって決定されます。

まずは、信用リスクですね。貸し手からすれば、お金を貸すという行為には常に、返済が滞るリスクがついて回ります。貸し手はそのリスクに応じて金利を設定し、借り手に金利分を含めた返済を要求します。よって、信用力が低くきちんと返済してくれるのかが疑わしい個人・企業に対しては高めの金利が設定されますし、信用力の高い優良企業に対しては低い金利を設定するのです。

金利決定のもうひとつの大きな要因は、資金に関する需要と供給のバランスです。資金を借りたいという需要が強ければ金利は上昇、需要が下がってくれれば金利は低下します。経済が活性化し、景気の先行きが良好なときには、企業はより多くの投資を行ってビジネスチャンスを広げよ

うとしますから、資金に対する需要は増加します。逆に景気の先行きが悪化してくれば、企業は慎重姿勢を強めますから、資金需要も下がってきます。簡単に言えば、景気がいいときには金利が上昇し、悪くなれば金利が下がってくるのです。

一般的に金利の上昇は、景気に対してマイナスに作用するとされています。金利が上昇すると負債を多く抱えている企業や個人の利払いの負担が増加します。金利の負担が増えた分は、投資や消費を削らなければなりません。結果、その分需要は伸び悩むことになるからです。しかしながら景気がしっかりと拡大する局面では、こうした金利の負担分以上に収入が増加します。その状況では、金利上昇の影響も気にする必要がありません。好況下での金利上昇は「良い金利上昇」と呼ばれ、歓迎されることが多いのです。

9-2　インフレに起因する金利の上昇には、警戒信号を高めるべき

では、インフレが進行する中での金利上昇はどうでしょう。これには注意が必要です。借り入れコストの上昇や需要の落ち込みなど、金利上昇の悪い部分が前面に押し出されることが多いからです。

物価が上昇を始めると、中央銀行であるＦＲＢは金融引き締め（政策金利の引き上げ）を行い、

インフレの進行を食い止めようとします。政策金利は基本的に、期間が3カ月の短期金利をコントロールするものです。よってこれが引き上げられると、当然ながら長期金利にも影響が及ぶようになります。

インフレ下で金利が上昇するのは、FRBの利上げだけが原因ではありません。インフレとは、将来的なお金の価値が下がることです。現在1000ドルで買えるものと5年後に1000ドルで買えるものを比べた場合、物価の上昇分だけ5年後に買うことのできるものの量は減少します。つまりインフレが進めば、その目減りが大きくなるのです。

お金の貸し手から見ると一定期間ののち、返済を受けた時点でその価値が目減りしているのであれば、その分だけ金利を多く取る必要があります。インフレが進む局面では、こうした理由でも金利が上昇するのです。

9－3　インフレの先行きを反映する金利指標

金利はこのように、景気や物価動向を反映する形で動きますので、どちらかというと現在の経済状況を確認するための指標と考えておいたほうがよいかもしれません。ですが少し視点を変えれば、将来の動向を占うこともできるのです。

■米国のブレイクイーブンインフレ率（BEI）の推移

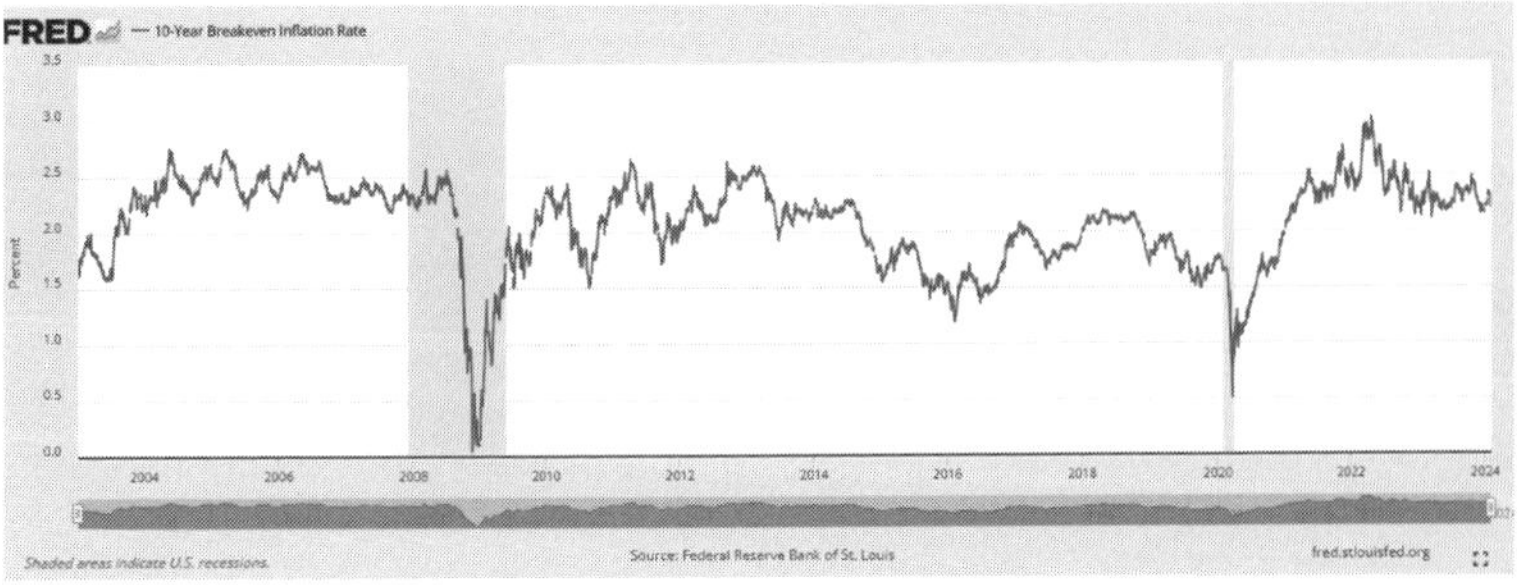

出所：https://fred.stlouisfed.org/series/T10YIE

インフレの先行きを反映する金利指標として代表的なものは、通常の米国債の利回りとインフレ連動債（TIPS：Treasury Inflation Protected Securities）の利回りの差（Spread）が挙げられます。

これはブレーク・イーブン・レートと呼ばれており、ＦＲＢも市場のインフレ期待（Infration Expectation）を示す指標のひとつとして注目しています。

ＴＩＰＳは消費者物価指数の推移に連動して利回りが変化する国債で、インフレが進行すれば利回りも大きくなります。

投資家がこの先インフレが進むと予想すれば、通常国債よりも利回りが有利になるＴＩＰＳを購入する傾向が強まりますから、その分ＴＩＰＳと通常国債の利回りの差が広がります。

ＴＩＰは5年物、10年物、30年物の３種類が発行されています。市場が注目するのは主に5年債と10年債で、それぞれ同じ年限の通常国債との利回りとの差を算出します。

市場が将来インフレが進むと予想すればこの差も拡大傾向が強まりますし、インフレが落ち着いてくると見ているならば利回りの差も縮小します。デフレ傾向が強いときには、ほとんど差がゼロになることもあります。滅多に見られることはありませんが、状況次第では差がマイナスとなったこともあります。

9－4　景気の先行きを反映する金利指標

ＴＩＰＳと通常国債の利回りの差は、インフレの先行指標となりますが、もうひとつ景気の先行指標として使われるものもあります。将来の経気動向を占ううえで市場が注目しているのは、年限の短い短期債と長期債の利回りの差です。

米国債は様々な年限のものが発行されていますが、短期債と見做されるのは通常2年債までの年限の国債。長期債は10年債より長いものです。代表的なものとしては、短期債は3カ月物か2年物、長期債は10年物か30年物です。これらの利回りの差を見ることによって、将来景気が良くなるのか悪くなるのかを判断するのです。

ですが実際には、景気が良くなっているときに注目されることはほとんどなく、将来景気が悪

■イールドカーブ

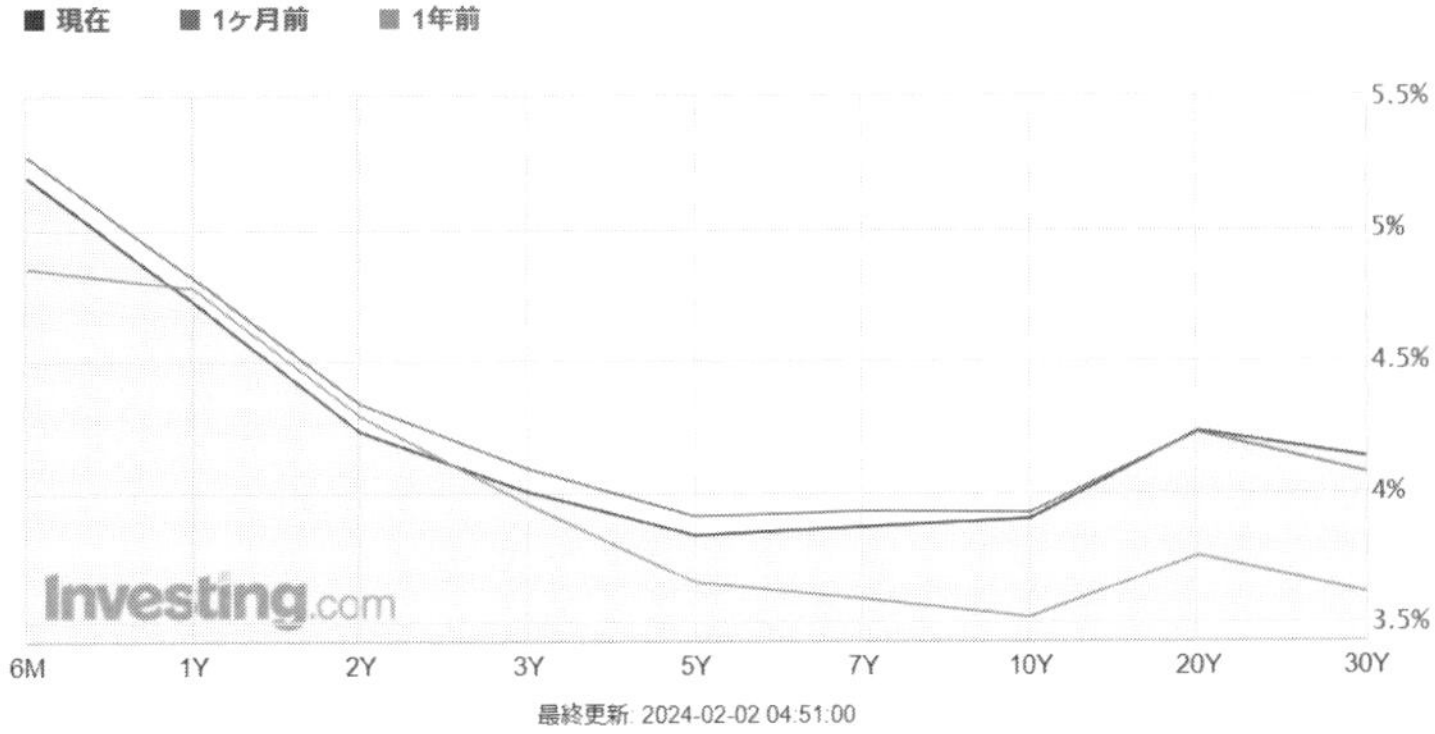

出所：https://jp.investing.com/rates-bonds/usa-government-bonds

化するのではないかという懸念が高まっているときに話題になります。

米国債の利回りは通常、年限が長くなるほど高くなります。いつでも引き出すことができる普通預金の金利が低くて、一定期間引き出すことができない定期預金の金利が、期間が長くなればなるほど高くなるのと同じと考えてよいでしょう。

長期金利が短期金利よりも低くなった場合、例えば30年の低い金利で資金を調達して、それをより高い金利がついている3カ月や2年といった短い期間の物で運用するだけで自動的に利ザヤを稼ぐことができてしまいます。

短期金利が長期金利よりも高いという状況下ではこうした裁定取引に資金が集中し、瞬く間に金利差は修正されることになるでしょう。

期間の短い物から長い物までの金利を、期間を横軸にして並べたものをイールドカーブ（利回り曲線）

と呼んでいますが、これは通常の場合、右肩上がり（期間の長いほうが金利が高い）となります。

ところが時としてこれが逆転し、期間の短い物の金利が長い物よりも高くなることがあります。これは「イールドカーブの逆転」や「逆イールド」と呼ばれます。こうした現象が起きると将来的に景気が悪化する可能性が高いとされています。

9−5 イールドカーブの逆転は、景気後退（リセッション）の前触れ

こうしたイールドカーブの逆転は、景気後退（リセッション）の前触れとされています。では、どうしてこのような現象が起きるのでしょうか？ これはその前段階としてのインフレの進行具合や、ＦＲＢの金融政策とも大きく関係しています。

米国の景気後退は、実際には全米経済研究所（ＮＢＥＲ）という機関がその期間内の景気動向の低下具合や広がりなどを考慮して、後になって認定します。通常は２四半期連続で経済成長がマイナスになると、景気後退として定義されます。

景気後退に陥る前というのは、景気が過熱していることが多く、当然ながら需要の高まりを背景にインフレ圧力も強まっています。そしてインフレを抑制するためにＦＲＢが利上げを実施する。その影響が深く出すぎたときに、景気後退に陥ることが多いのです。

ＦＲＢがコントロールするのは３カ月物の金利ですから、利上げを進めると３カ月物の金利は上昇、その影響は当然ながら他の期間の国債にも及びます。通常、２年債あたりまでの短期債の金利は３カ月物に引っ張られるように上昇し、それ以上の年限になると徐々に影響も薄れてきます。

ＦＲＢが利上げを進めると当然ながら景気は悪化、それに伴ってインフレ圧力も後退します。そしてある程度のところまで景気が減速したら、今度はＦＲＢは利下げに転じ、景気を下支えしようとします。目先景気が悪化するという見方が強まれば、市場はこうした将来的なＦＲＢによる利下げまで織り込むようになりますから、年限の長い10年物や30年物の金利は逆に低下傾向が強まります。短い年限の金利は足元のＦＲＢの利上げによって上昇、一方で長い年限は将来的な利下げを見越して低下圧力が強まるという現象が生じ、これが行きすぎればイールドカーブの逆転に至るのです。

市場がもっとも注目するのは２年物と10年物の利回りの差ですし、先に紹介したカンファレンスボードの景気先行指数では、３カ月物と10年物の利回りを指数の構成要素として採用しています。これらの利回りが逆転した場合には、今後数カ月から２年程度の間に景気後退に陥る可能性が高いとされています。

9―6　イールドカーブの逆転が、なぜ景気の悪化をもたらすのか

ではなぜ、イールドカーブの逆転が景気の悪化につながるのでしょうか。これは資金の流れに大きく影響しています。そもそもイールドカーブの逆転はFRBの利上げによって生じることが多いわけですから、その時点で既に資金は縮小傾向にあります。さらにはイールドカーブの逆転によって、貸出金利と調達金利の差で利益を得ている銀行の収益が急速に悪化します。銀行は収益の悪化に備え、貸出の際の基準を厳格化するなどしてクレジットを引き締めますから、企業はビジネスに必要な資金を調達することが難しくなります。

結局のところ、市場から資金が引き揚げられることが景気の悪化につながるわけで、イールドカーブの逆転は市場からの資金流出を反映しているだけにすぎないのです。イールドカーブが逆転したからといって、必ず景気後退に陥るわけではありませんが、その可能性はかなり高いと考えておいたほうがよいでしょう。

❖アドバイス❖

私にとっての長期金利は、景気の動向を知るうえでの重要なデータの一つというよりも、投資判断の後押しをしてくれる心の支えというような存在です。

株式市場はどちらかというと楽観的な人々の集団であり、どんな材料が出てきてもその良い部分だけに注目して、買いの手掛かりにしてしまう傾向が強いと思います。が、市場は常にそこまで都合よく動いてくれるわけではありません。状況が一気に悪化したときにパニックに陥りやすいのもまた、株式市場ということができるでしょう。

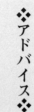

それに対して金利市場、債券市場は株式市場のように多くの一般投資家が参加しているわけではなく、いわばマーケットのプロの集まりです。それだけに過度に楽観的な見通しを立てることも、悲観的に行動することもなく、常に冷静な判断を下し、それに基づいて相場も動くとされています（もちろん、時としてパニック的な過激な動きを見せることもありますが……）。

市場というのは本当に奥が深く、いくら突き詰めて分析しても本質というものが見えてこないものです。いくら一生懸命分析し、予想を立てても、平気でそれを裏切るような動きを見せてきます。理論通りに動いてくれないことも日常茶飯事ですし、そうした局面では、一体何を信じれば良いのか、本当に分からなくなります。

そうしたとき、私はとにかく金利市場の動きを見るようにしています。金利市場がどちらの方向を向いているのか、それは自分の予想や分析に沿った方向なのか、それとも違った方向に動いているのか、そこに集中するのです。

株式市場が自分の予想や分析結果とかけ離れた方向に大きく動いているときでも、金利市場の動く方向と自分の見通しが一致しているなら、ポジションを維持し、まずは市場が落ち着きを取り戻すのを待つようにします。一方で、金利市場が自分の見方とは反対の方に行ってしまったのであれば、過ちを認めて速やかに損切りをするように努めます。

市場の激しい動きに振り回されっぱなしでは、体力・財力・気力がいくらあっても足りません。時には市場の動きを無視し、じっと動かないことも大切です。逆に素早く動くほうが傷が浅くて済むということもありますが、それは後になってみないとわからないものなのです。相場が自分の見方と反対に動いて損失が大きく出たときに、じっとそれに耐えて様子を見るというのはかなりの胆力を必要とします。そんなとき、折れそうな心の拠り所になってくれるのが金利市場の動きなのです。これは理屈ではありませんので、常に正しいがどうかは何とも言えませんが、少なくとも私にとって金利市場はそうした存在です。

第10章

FRBの金融政策を見るうえで、必要な知識を身につけよう

・GDPナウ（GDPNow）

・消費者期待調査（Survey of Consumer Expectations）

・FRED（Federal Reserve Economic Data）

・FEDウォッチ（CME FedWatch Tool）

では最後に、米国の中央銀行の仕組みについて見ていくことにしましょう。米国の中央銀行は、連邦準備制度(Federal Reserve System)という制度の下で運営されています。Federalの最初の3文字を略してFEDと呼ばれることが多いですが、FRSとも表記されます。

連邦準備制度は、連邦準備理事会(FRB：Federal Reserve Board)と連邦公開市場委員会(FOMC：Federal Open Market Committee)、そして12の連邦準備銀行(Federal Reserve Banks)から構成されています。

連邦準備制度の使命は、次の5項目です。

(1)米国の金融政策の運営

雇用の最大化と物価の安定、長期金利を適度な状態にすること。このうち雇用の最大化と物価の安定は「デュアル・マンデート(Dual Mondate)」と呼ばれており、実現するために相反する部分が多く、FEDの取り組みを複雑にする一因となっている。雇用を最大化しようとすればインフレが進行しやすくなり、物価を抑えようとすれば雇用の悪化を招くためである(第6章参照)。

(2)金融システムの安定の実現

金融制度のシステマティック・リスクを最小に抑えるために、米国と海外の金融システムを監視し、関与すること。

(3)個別の金融機関の安全性や健全性の実現
金融機関の監督。
(4)支払いや決済システムの安全性や効率性の促進
米国の銀行や米政府機関のドルの決済や支払いが円滑に行われるようにすること。
(5)消費者の保護と地域の発展の実現
米国の消費者に焦点を当てた監視やリサーチ、消費に関する問題や傾向、地域の経済の発展状況などの分析、消費者関連の法律や規制の監督等。

10－1　ＦＲＢの仕組みを、きちんと理解しておこう

ではさらに詳しくＦＥＤの組織を見ていきましょう。

連邦準備理事会はＦＥＤの最高機関と位置付けられており、米国の金融政策を決定するほか、連邦準備銀行を統括します。日本でいえば、日本銀行に相当すると考えてよいでしょう。

連邦準備理事会は7名の理事（Governors）によって運営されており、理事は米国の大統領によって指名され、上院で承認される必要があります。理事の任期は14年で、任期は偶数年の1月末で順番に満了するように設定されています。任期を満了した理事はその時点での大統領の判断で、再任されることも再任されないこともあります。理事が任期途中で辞任した場合は、後任に指名された理事が残りの任期を満了したのち、その後改めて再指名を受けることになります。また理事が辞任した際に後任の理事がすぐに指名されず、空席のままで理事会が運営されることもあります。

理事会の議長（Chair）と副議長（Vice Chair）は大統領が指名し、上院の承認を経て任命されます。任期は理事よりも短く4年で、その期間中は理事であり続ける必要があります。理事の中から指名されることもありますし、外部から招聘し、理事職と共に指名されることもあります。FRBの議長は金融政策を決定する際のキーパーソンとして、その言動が常に市場の注目を集めることになります。

連邦公開市場委員会（FOMC）は連邦準備理事会が開く会合で、政策金利である「FFレート（Federal Fuds Rate）」の誘導目標の設定など、具体的な公開市場操作（オペレーション）の方針を決定します。

連邦準備銀行は連邦準備理事会の下に置かれ、FOMCで決定された金融政策を様々なオペレーションを通じて実現します。また米ドル紙幣（連邦準備券）の発行なども行います。

地区	連邦準備銀行の本部所在地
第 1 地区	マサチューセッツ州ボストン
第 2 地区	ニューヨーク州ニューヨーク
第 3 地区	ペンシルベニア州フィラデルフィア
第 4 地区	オハイオ州クリーブランド
第 5 地区	バージニア州リッチモンド
第 6 地区	ジョージア州アトランタ
第 7 地区	イリノイ州シカゴ
第 8 地区	ミズーリ州セントルイス
第 9 地区	ミネソタ州ミネアポリス
第 10 地区	ミズーリ州カンザスシティ
第 11 地区	テキサス州ダラス
第 12 地区	カリフォルニア州サンフランシスコ

連邦準備銀行は全米を12の地区に分けて設置されており、担当する地区内の経済状況などの調査・分析なども行います。12の地区は、上記になります。

10－2　FOMCで金融政策が決定されるまでの流れ

ＦＯＭＣは連邦準備理事会が開く、金融政策を決定するための会合です。定例会合は年に8回開催されますが、市場や金融システムに大きな混乱が生じたときなど、必要と判断されれば緊急会合が開かれることもあります。

会合にはＦＲＢの理事と12地区の連邦準備銀行（連銀）の総裁が出席しますが、このうち金融政策の決定に関する投票権を持っているのはメンバーと呼ばれ、7名の理事とニューヨーク連銀の総裁、それ以外の11地区のうち4つの地区連銀の総裁の計12名に限られます。投票権を持つ4地区の連銀総裁は、1年ごとに持ち回りで選出されます。

ＦＯＭＣの開催形態は時と共に変化してきましたが、現在はどの会合も2日間の開催です。最終日の米東部時間14時に声明文が発表され、その後14時30分からは議長が記者会見を行います。声明文には金融政策の決定内容や経済、物価に対する分析などが記されており、政策が変更された際には市場が大きく反応します。また声明やその後の議長会見の内容から将来的な政策方針を読み取ろうと、その文言や文脈に関して様々な分析や解釈が行われます。こうしたＦＲＢの方針や動向を分析するアナリストは「ＦＥＤウォッチャー」と呼ばれています。

ＦＯＭＣではまず会合を運営する議長と副議長が選出されるのですが、議長には通常ＦＲＢの議長が、副議長はニューヨーク連銀の総裁が選ばれます。議長の役目は議事を進行し、金融政策方針や声明文の内容を取りまとめること。それ以外に特別な権限があるわけではなく、金融政策方針は投票権を持つメンバーの多数決によって決定されます。議長の役目はあくまでも議事を円滑に進行し、ＦＯＭＣの意見を集約して金融政策方針をまとめ上げることなのです。

10－3　市場との対話に、ＦＯＭＣは常に注意を払ってきた

市場との対話や金融政策の透明性は、ＦＯＭＣが常に注意を払ってきたテーマと言ってもよいでしょう。ＦＯＭＣで決定される金融政策は経済に大きな影響を及ぼしますから、市場も常に大きな注意を払っています。ＦＲＢの方針がうまく市場に伝わらなければ、市場が過剰反応を起こしたり、意図しない方向に対する期待を高めてしまうことにつながり、結果ＦＲＢが望むような形で金融政策の効果が表れなくなることもあります。

マエストロとよばれたアラン・グリーンスパン氏が議長だった２０００年代初めまでは、ＦＯＭＣはそれほど積極的に市場とのコミュニケーションを取ろうとはしていませんでした。ＦＯＭＣの金融政策も声明文で発表されるのみで、議長の会見が開かれることもありませんでした。ＦＯＭＣの会合に参加するためにＦＲＢのオフィスに入るグリーンスパン議長の鞄が膨れていれば、持ち込む資料が多いということから、金融政策に何らかの変更があるのではとの憶測が飛び交うほど、金融政策の意思決定はベールに包まれていたのです。

その後、グリーンスパン議長の後任としてベン・バーナンキ氏が就任した２００６年以降、市場とのコミュニケーションを重視し、金融政策の透明性を高めることに積極的に取り込むようになったのです。

まずはＳＥＰ(Summary of Economic Projection)とよばれる経済予測を四半期に一度発表するようになりました。２００７年11月には、ＦＯＭＣの声明発表と同時に最初のＳＥＰが発表され、２００９年には長期のＧＤＰや失業率、インフレ予測などが加えられるようになりました。

２０１１年には四半期に一度、ＦＯＭＣの声明発表後に議長による記者会見が行われるようになり、２０１２年にはＦＲＢ理事と各地区連銀の総裁による政策金利の見通しの発表が始まりました。この政策金利見通しは「ドットプロット」あるいは「ドットチャート」と呼ばれ、それぞれのＦＲＢ高官が1～2年後と長期的な政策金利の見通しをどのように立てているのかが視覚的に分かるような形となっています。ドットプロットはいまや、ＦＯＭＣの声明文と並んで市場が最も注目するデータです。その後２０１８年にジェローム・パウエル議長が就任すると、これまで四半期に一度、２会合に一度の頻度だった声明発表後の会見を毎会合ごとに行うようになりました。

このようにＦＯＭＣにおける意思決定のプロセスに関する透明性を高め、市場のとコミュニケーションを密接に取る方向に舵を切ってきたＦＯＭＣですが、それによる弊害も指摘されるようになりました。ＦＯＭＣが市場とのコミュニケーションを重視することで逆に金融政策に対する市場の期待が過剰に高まり、今度はＦＯＭＣがそれを重視せざるを得ないようになって、かえって意思決定の自由度が狭まったというような批判です。それらはＦＲＢの透明性に関する大きな課題となっています。

また一方で、ＦＲＢ高官が市場とのコミュニケーションを取ってはいけない時期もあります。これは「ブラックアウト・ルール」と呼ばれているもので、金融政策会合の前に一定期間、会合の出席者に対して政策に関する発言を禁じています。目的はもちろん、発言によって市場が過剰反応し、大きく動いてしまうことを避けるため。米国だけでなく、世界の中央銀行の多くが採用しています。米国の場合、ＦＯＭＣは火曜と水曜の2日間で開催されますが、その前々週の土曜日から会合まではＦＲＢ高官は金融政策に関する発言が一切できないようになっています。

10―4　ＦＯＭＣでは、どのようなデータが重視されるのか

ＦＯＭＣで金融政策を討議・決定するためには様々な経済データが資料として用いられますが、その中でも参加者が重視するものがいくつかあります。

インフレに関しては様々なデータが公開されていますが、特に重要視されるものは米商務省が発表する個人消費価格指数(PCE Index)です。この中でも、変動の激しいエネルギーと食品を除いたコア指数の動きが、政策決定に大きな影響を及ぼすのは間違いないでしょう。また一度上昇を始めると下がりにくくなる、粘着性のある物価項目として、住居費やサービスの価格、賃金なども重視するといわれています。

このほか、市場のインフレ見通し(Infration Expectation)の変化も、常にチェックされています。インフレ見通しを的確に把握するデータというのはありませんが、通常国債とインフレ連動債(ＴＩＰＳ)との利回りの差であるブレーク・イーブン・レートや、ミシガン大消費者指数のインフ

レ見通し、ＮＹ連銀指数が発表するインフレ予測などを参考にしているといわれています。

雇用に関しては、やはり労働省が発表する雇用統計でしょう。失業率、非農業雇用数といった主要な項目の推移は、常にチェックされています。景気に関しては、やはりＧＤＰが一番の注目ポイントになりますが、そのほかでは米労働省が発表する労働生産性も、景気の先行きを見るうえで重要視するデータのひとつとされています。

ＦＲＢが重視する経済データは、その時々の経済や物価状況によって常に変化しています。そのため、市場はＦＯＭＣの声明発表後に行われるパウエル議長の会見をはじめ、ＦＲＢ高官のコメントに常に注意を払っています。そこでどのようなデータが引用されているのかによって、現在ＦＯＭＣでどのようなデータが注目されているのかを推しはかることができるからです。

10－5　ＦＥＤは金融のエリートが集まるシンクタンクでもある

ＦＥＤは米国の金融政策を決定する機関ですが、同時に全米から金融のエリートアナリストが集まっている、シンクタンクでもあるのです。既に取り上げた製造業の景況感指数をはじめ、各地区連銀はそれぞれ独自の経済指標を発表しています。その中でも有用なものをいくつか紹介したいと思います。

10-5-1　市場関係者の間で注目度の高い、GDPナウ

GDPナウは、アトランタ連銀（Federal Reserve Bank of Atlanta）が集計、算出するGDPの推定値です。GDPは、ここでも一番先に取り上げたように、経済指標の基本中の基本ですが、四半期に一度の発表なので速報性に欠けるという難点があります。そこで、現時点で発表されている様々な経済指標を基に、足元の経済指標をリアルタイムで推定しようというのがこの指標のコンセプトなのです。

推定のアップデートは、集計の対象となっている経済指標が発表されるたびに行われます。誰もが知っているというほどに知名度が高いわけではありませんが、推定の精度が高いので、市場関係者の間での注目度はかなり高いということができるでしょう。

名称	GDPナウ（GDPNow）
発表機関	アトランタ連銀（Federal Reserve Bank of Atlanta）
発表時期	随時（GDPに影響するとされる経済指標が発表された際）に修正が加えられる
概要	実質GDP成長率のリアルタイムの推定値
特徴	速報性に欠けるとも言える

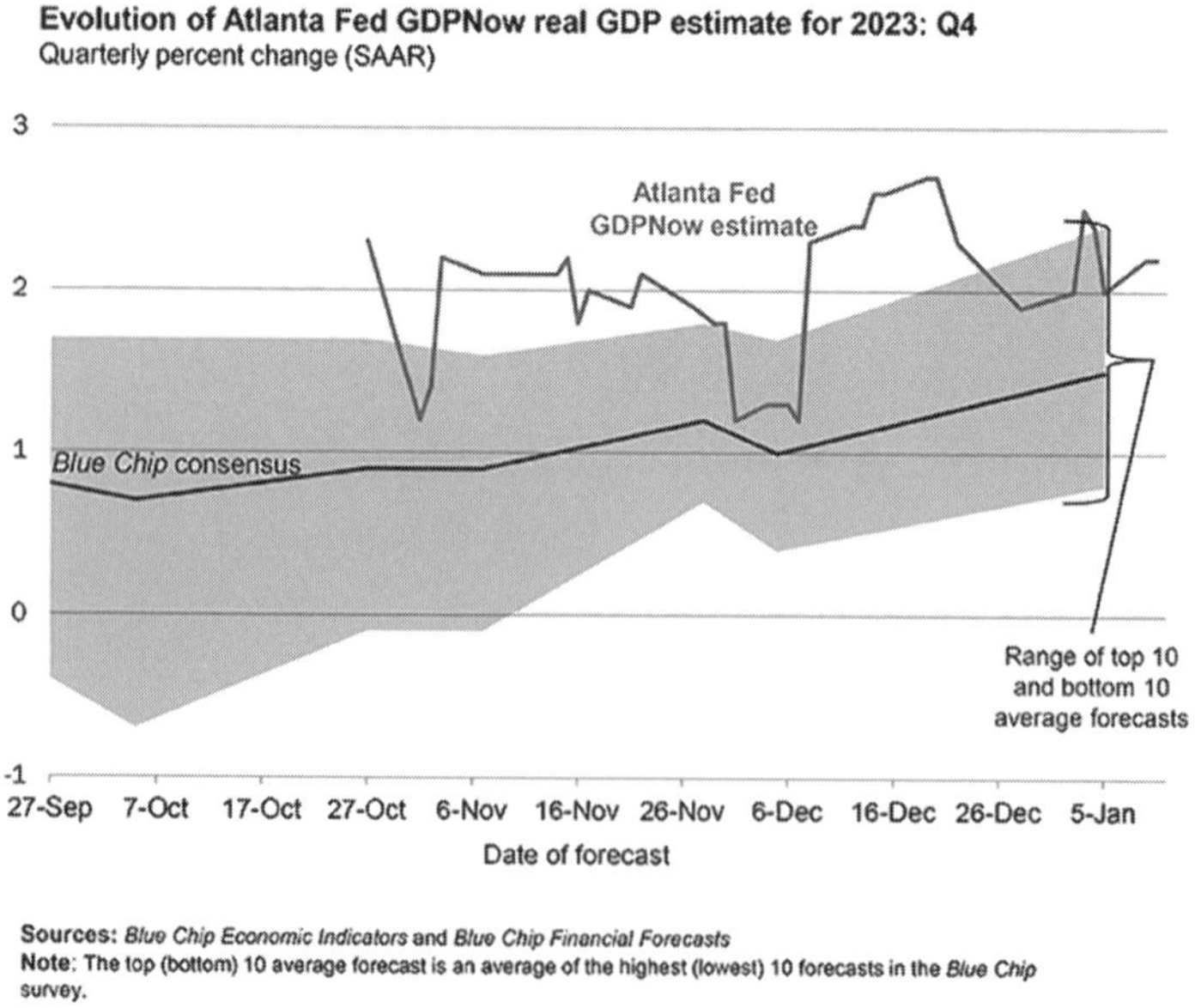

出所：https://www.atlantafed.org/cqer/research/gdpnow

10-5-2　NY連銀が発表する、数少ないインフレ期待指数

ニューヨーク連銀（Federal Reserve Bank of New York）が調査、集計している、消費者期待調査（Survey of Consumer Expectations）は、市場のインフレ期待（Infration Expectation）を表す数少ない経済指標として注目されています。

翌月の第2週、消費者物価指数の前後に発表されます。市場のインフレ期待は、FRBが金融政策を決定するうえで重視するデータの一つなのですが、実際のところはかなり曖昧で、これだというベンチマーク的なものがないというのが現状です。第9章で紹介したブレーク・イーブン・レートや、ミシガン大消費者指数のインフレ見通しなどを参考に、推測するしかないというのが実際のところです。

２０１３年に発表が始まったこの消費者期待調査は、その点でインフレ期待を知るうえで貴重な指標ということができるでしょう。レポートでは1年後と3年後のインフレ見通しの中央値（Median）と、全体の下位25％から上位75％までのレンジが示されています。

名称	消費者期待調査（Survey of Consumer Expectations）
発表機関	ニューヨーク連銀（Federal Reserve Bank of New York）
発表時期	翌月第２週
概要	消費者のセンチメントを指数化した経済指標
特徴	実際のところはかなり曖昧

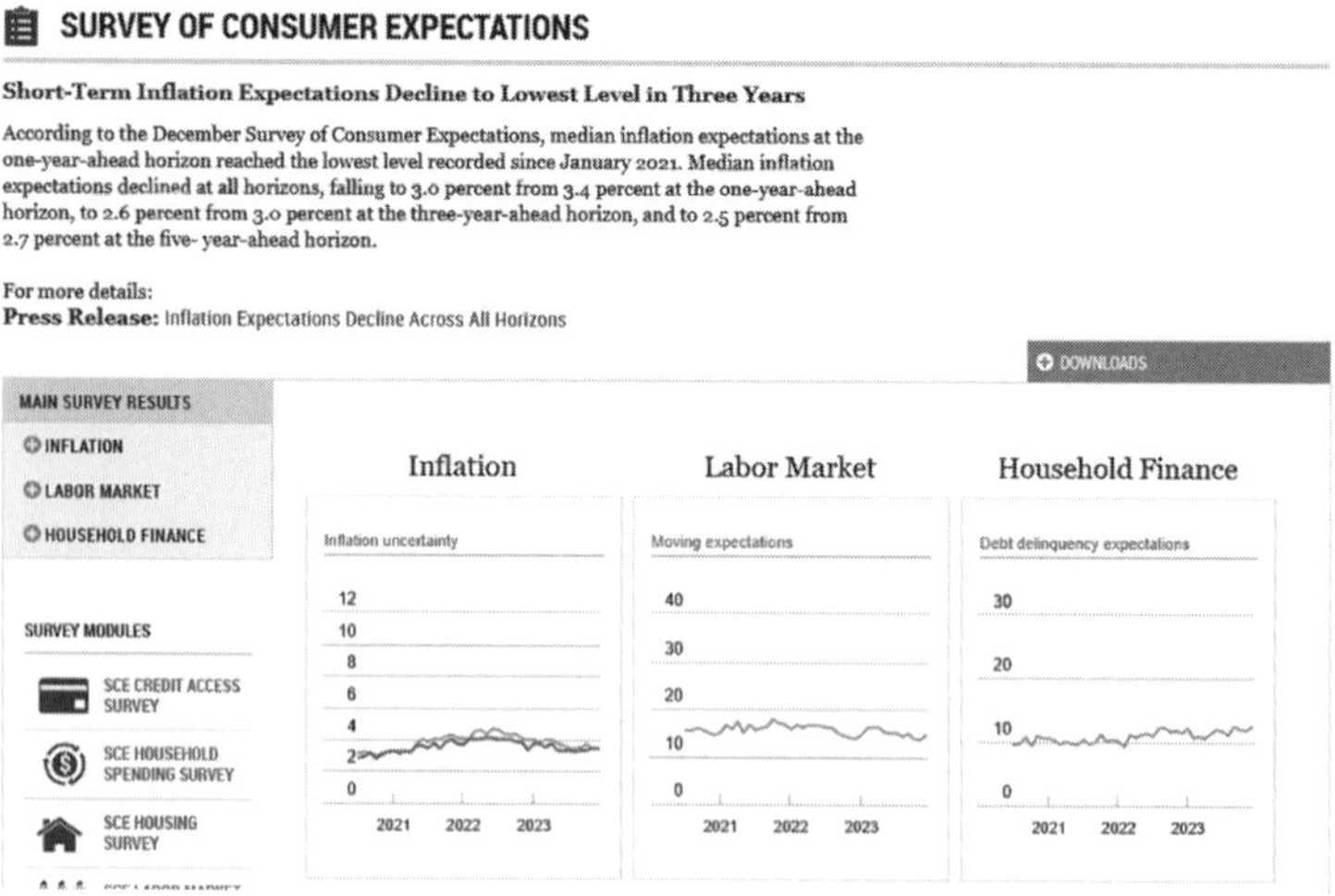
SURVEY OF CONSUMER EXPECTATIONS
Short-Term Inflation Expectations Decline to Lowest Level in Three Years
According to the December Survey of Consumer Expectations, median inflation expectations at the one-year-ahead horizon reached the lowest level recorded since January 2021. Median inflation expectations declined at all horizons, falling to 3.0 percent from 3.4 percent at the one-year-ahead horizon, to 2.6 percent from 3.0 percent at the three-year-ahead horizon, and to 2.5 percent from 2.7 percent at the five- year-ahead horizon.
For more details:
Press Release: Inflation Expectations Decline Across All Horizons
DOWNLOADS
MAIN SURVEY RESULTS
INFLATION
LABOR MARKET
HOUSEHOLD FINANCE
SURVEY MODULES
SCE CREDIT ACCESS SURVEY
SCE HOUSEHOLD SPENDING SURVEY
SCE HOUSING SURVEY
Inflation
Inflation uncertainty
12
10
8
6
4
2
0
2021
2022
2023
Labor Market
Moving expectations
40
30
20
10
0
2021
2022
2023
Household Finance
Debt delinquency expectations
30
20
10
0
2021
2022
2023

出所：https://www.newyorkfed.org/microeconomics/sce#/

10-5-3　セントルイス連銀は、経済指標の様々な見方を示してくれる

これは独自の分析や調査による経済指標というものではありませんが、セントルイス連銀（Federal Reserve Bank of St. Louis）も非常に便利なデータを公開しています。ＦＲＥＤ（Federal Reserve Economic Data）と呼ばれているこのウェブページでは、各種経済指標を分類、グラフで見やすく表示されてます。

項目はＧＤＰに始まり、インフレーション、マネーストック（Ｍ２）、失業率、金価格と多岐に渡っています。それぞれの経済指標の発表の際、ニュースのヘッドラインで出てくる主要項目にとどまらず、データを少し加工したものも多く表示されており、経済指標を見る際の様々な視点を紹介してくれるという点でも、非常に有用なウェブページということができるでしょう。

名称	FRED（Federal Reserve Economic Data）
発表機関	セントルイス連銀（Federal Reserve Bank of St. Louis）
発表時期	—
概要	消費者物価指数（CPI）や失業率などのデータ
特徴	各種経済指標を分類、グラフで見やすく表示

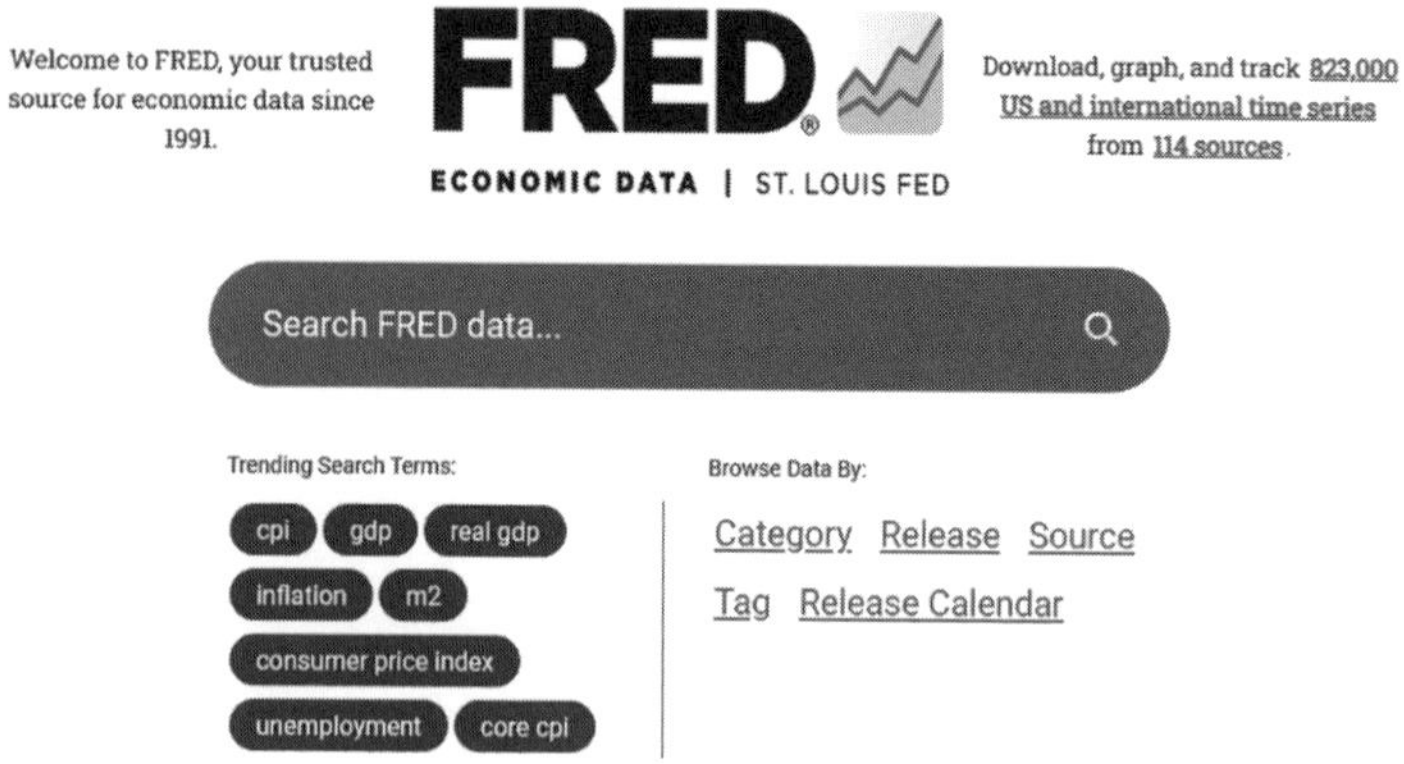

出所：https://fred.stlouisfed.org/

10−6　FEDウォッチは、FRBの金融政策を予想するウェブサイト

FEDウォッチ（CME FedWatch Tool）は、米取引所のCMEグループが公表している、FRBの政策金利を予想するウェブページです。CMEが上場している金利先物市場の価格を基に、将来のFOMCでの政策金利の水準を市場がどの程度織り込んでいるのかを、パーセンテージで表しています。発表後はその日の金利市場の動向を受けて、毎日更新されます。

何月何日のFOMCで、50bpの利上げが行われる可能性は何パーセント、25bpの利上げは何パーセント、据え置きは何パーセント、25bpの利下げは何パーセントといった形で表示されます。

これはあくまでも金利市場の動向に基づいた確率なので、必ずしもFOMCでこの通りの政策決定が行われるわけではありませんが、市場への影響はかなり大きいと見ておいたほうがよいでしょう。

名称	FEDウォッチ（CME FedWatch Tool）
発表機関	CMEグループ
発表時期	毎営業日
概要	将来のFOMCでの政策金利の水準を市場がどの程度織り込んでいるのかを表した数値
特徴	金利市場の動向に基づいた確率。市場への影響はかなり大きい

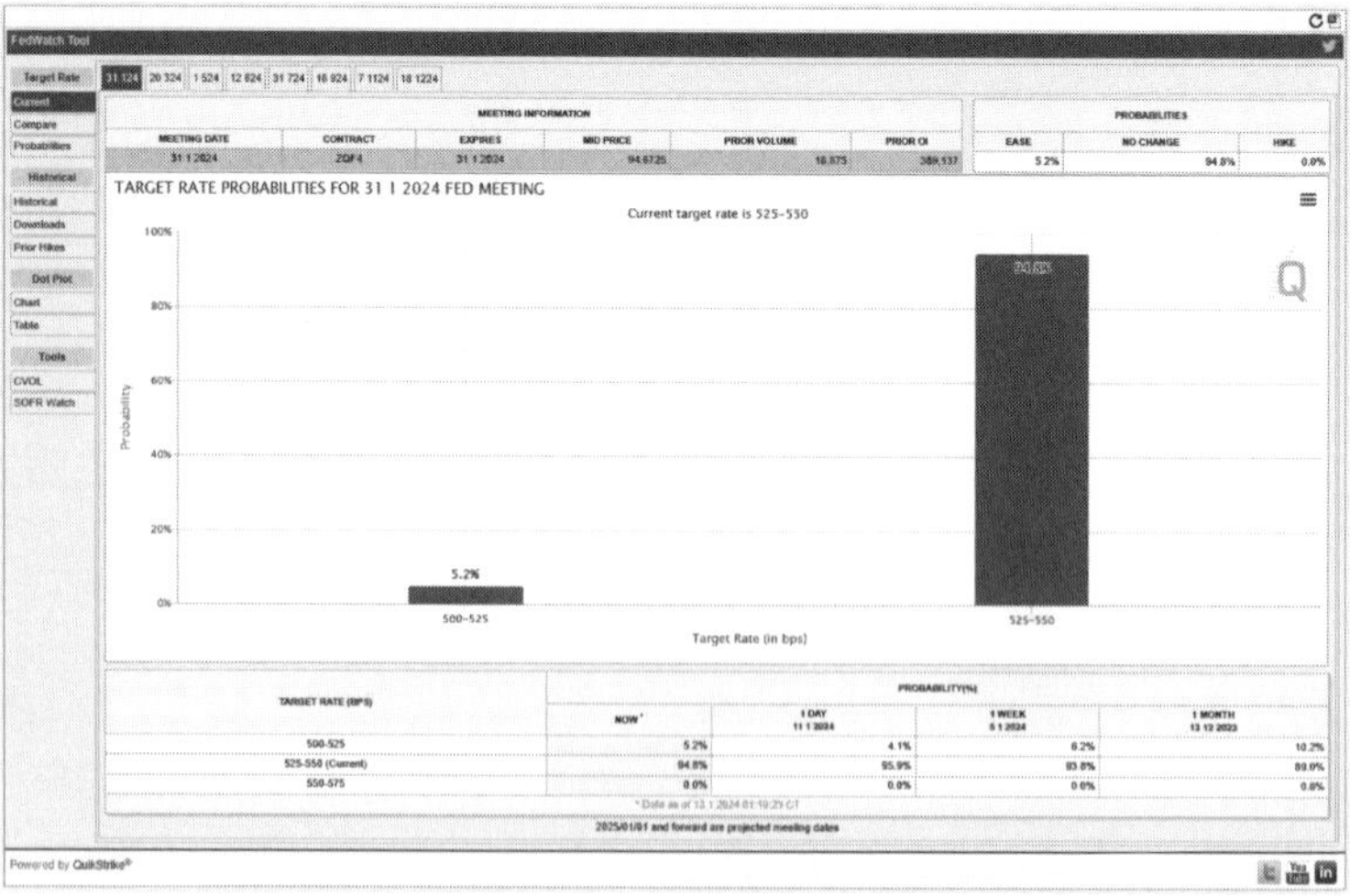

出所：https://www.cmegroup.com/markets/interest-rates/cme-fedwatch-tool.html?redirect=/trading/interest-rates/countdown-to-fomc.html

❖アドバイス❖

市場には様々な格言や言い伝えがありますが、その中でも「ＦＲＢには逆らうな」というものほど、投資家の間に広く知れ渡り、なおかつ非常に有効なものもないでしょう。結局のところ、マネーの流れを支配しているのは金融当局であり、その政策に逆らった投資行動を取っても良いことは何一つないということなのです。

ＦＲＢの金融政策は、経済指標ではありません。あくまでも金融当局の高官が協議して決定するものであり、多かれ少なかれ当事者の意図を汲んだものです。経済指標はある意味中立的なもので、それだけに市場参加者も内容に対して様々な評価を行い、反応を見せるのですが、ＦＲＢの金融政策はある意味絶対的なものということはできるでしょう。金融政策を決定するＦＯＭＣの会合における判断が常に正しいわけではありませんが、少なくとも当局者には金融市場に大きく動かすことが可能な政策を決定する権力があります。

経済指標であれば、それに対する市場の評価が間違っていて、あらぬ方向に相場が動いたとしてもいずれ落ち着くべき方向に戻っていく可能性が高いと考えてよいと思います。が、ＦＲＢが間違った判断から金融政策を決定したら、それによって市場は間違った方向に動くだけなのです。ＦＲＢが何らかの政策変更を決定するまでは、その方向性についてあれこれと考えて予想を立てるのはよいと思いますが、一旦方針が決まってしまえば、その流れに逆らうべきではありません。ＦＲＢの高官は基本的に役人であり、仮に政策が間違ったものだったとしても、それを簡単に認め、修正する可能性は極めて低いと考えておくべきです。

新型コロナウイルスのパンデミック以降、政府が過去に例のない規模の財政支出を打ち出し、ＦＲＢが積極的な金融緩和、量的緩和を進めました。ロックダウンなどの影響でほぼ停止状態だった景気は急速に回復、それにつれてインフレ圧力も急速に高まっていきました。しかしながら、それまで前年比で２％を下回る水準に低迷していた消費者物価指数が２０２１年4月に突然4％台に跳ね上がったあとも、ＦＲＢはかなりの期間、インフレは一時的な要因によるものとの見方を固持しました。

インフレの勢いが手に負えなくなるまでに強まったことを受け、ＦＲＢが利上げに転じたのは２０２２年3月のＦＯＭＣでしたが、そのときにＣＰＩは既に前年比で８％近くまで上昇していたのです。０・２５ポイントといった小幅の利上げではインフレを抑制することができず、ＣＰＩは２０２２年6月に9％台まで上昇しました。結局ＦＲＢは4会合連続で０・75ポイントの大幅利上げを行うという、異例のペースでの金融引き締めによって、ようやくインフレを鎮静化させることができたのでした。

当時私は、インフレは一時的な要因によるものというＦＲＢの見解に対して、非常に強い疑念を持っていました。インフレに対する楽観的な見通しは間違っており、いずれインフレは手が付けられなくなるほどに過熱、ＦＲＢも利上げに踏み切らざるを得なくなると考えていたのです。その考えは最終的には正しかったのですが、当時の投資判断は、インフレ圧力が強まる中で、いずれ大幅な利上げに踏み切らざるを得なくなるから、株式市場は弱気だというものだったのです。

結局２０２１年は最後までＦＲＢはハト派的な姿勢を維持、それを受けて株式市場も大幅に上昇したのです。ＦＲＢの見方は間違っているという、私の判断は正しかったのですが、その際にＦＲＢが実際に行っている方針（緩和策の継続）に真っ向から逆らいポジションを持ち続けたため、かなり手痛い目に遭ってしまいました。

見通しが正しいとしても、ＦＲＢの金融政策に逆らった投資判断をしても、よいことはないという格言の典型的な例だったと言えるでしょう。もちろん、ＦＲＢがもっと迅速に方針を転換していれば損失が大きく膨らむこともなかったのでしょうが、２０２１年前半の時点では、ＦＲＢもすぐに判断ミスを認め、利上げを開始するだろうと考えていたのです。まさか２０２２年3月まで利上げを開始しないとは思いもよりませんでした。ＦＲＢは自らの判断ミスをすぐに認めることはせず、間違った政策を長期間続けることもあり得るという点で、私も大きな判断ミスをしていたのです。

あとがき

前著となる『米国商品情報を活用して待ち伏せする先取り株式投資術』（パンローリング）を、東条麻衣子さんとの共著という形で出版したのは、ちょうど新型コロナウイルスの感染が急速に拡大しつつあった２０２０年の4月でした。私は毎日投資家向けに米国金融、株式市場のレポートを配信しており、年間を通じて執筆量はかなりのものとなりますが、書籍という形でまとまった執筆を行ったのは初めての経験でした。執筆を終えた際は、「もう金輪際、本の出版は御免だ…」と考えていたのですが、パンローリング社の大蔵貴雄さんの誘いもあり、改めて筆を執ることを決意したのです。

商品市場のファンダメンタルズについては、前回の執筆時に持てる知識を全て出し尽くしたので、新たに読者の皆さんに伝える情報は残っていませんでした。幸い、前著は商品市場についての書籍としては売れ行きが好調だったようで、大蔵さんからは、「前回同様に5年後も、10年後も投資家の役に立つ本を書いてほしい」という要望がありました。そうなると、私がこの業界に入って20年以上に渡り、欠かすことなくデータの収集と分析を続けてきた経済指標について書くしかありません。あれほど二度やりたくないと嫌っていた執筆活動も、いざ腹を括って始めてみると、これまで蓄積していた知識や経験を形にする作業だったというのもあるのでしょう、思った以上にスムーズに筆が進みました。

本著は米国の経済指標の分析方法や、投資への活用の仕方について書いたものですが、私自身は経済学を専門に勉強したわけではありません。あくまでも日々の取引の中での経験や、感じたことに基づいて自分の中で確立された理論や考え方です。経済の専門家やそれこそ経済理論の研究者から見たら、首をかしげる部分や突っ込みを入れたくなる部分も多いかもしれません。ですが、相場というものは決して理論通りに動かないものです。学問的な批判は甘んじて受けますが、それでも投資をするうえでの判断はこうなんだという、信念をもって書いております。もし経済学者など専門家の書かれた経済指標についての本があれば、ぜひその中身と比較して、そのあたりの分析方法の違いも参考にしていただきたいと思います。

この本をきっかけに、皆さんが米国市場や経済のファンダメンタルズに興味を持ち、投資の幅を広げることができることを望んで止みません。

新型コロナウイルスの感染拡大によって世界各国でロックダウンが起きた2020年、年初から8月まで日本からNYに戻ることができませんでした。その際に多くの時間ができたこともあり音楽活動を再開、サンセットパーク（Sunset Park）というプログレッシブロックバンドを結成できたことも大きな転機になりました。昨年にはデビューアルバム、〝The Night of the Lunar Eclipse〟をリリースすることができました。作詞作曲をしてアルバムを発表するのと、このように著書を出版するのは、表現活動としては共通点が多いと思います。これからも投資と音楽の二足の草鞋を履きながら精力的に活動していく所存ですので、ご支援のほど、どうぞよろしくお願いします。

最後に、ミュージシャンとしての音楽活動も含めて私のビジネス全般を支援してくれる、前述の大蔵貴雄さんに改めてお礼を申し上げたいと思います。また私が日本にいてNYを留守にしている間も現地で情報をしっかりと収集し、的確にまとめてくれている、よそうかいグローバルインベスターズの同僚である浅野直子さんには、今回も多くの助言をいただきました。私の家族や、様々な面で私を応援してくれている多くの関係者や友人、そしてもちろん、よそうかい.comのレポートを購読していただいている読者の方やユーチューブ・チャンネルの視聴者の皆さんにも、改めて感謝の意を伝えたいと思います。

松本　英毅

2024年1月

■著者紹介

松本英毅（まつもと・えいき）

よそうかい・グローバル・インベスターズ・インク代表。米国金融・商品市場ストラテジスト。自らもファンドを立ち上げ、米国市場で運用するトレーダーでもある。音楽の道を志して渡米、ニューヨークで数年間プロのベーシストとして活動したあと、商品ブローカーに転身。その後市場分析、運用への道に進んだという異例の存在。

現在もニューヨークを拠点に活動し、会員制米国市場情報サイト「よそうかい.com」を運営。米国市場のレポートを配信しているほか、YouTubeチャンネル『松のすっとびストラテジー』で、毎日情報発信を行っている。

金融から商品市場まで幅広い知識を有しており、ひとつの銘柄にとらわれることなく総合的な判断を下すことができるのが強みで、1バレル＝10ドル時代から追い続けてきた原油市場については特に造詣が深い。ファンドでの経験を生かした切り口の鋭い分析に定評があり、実際のトレードに役立つ情報提供を身上とする。共著書に『米国商品情報を活用して待ち伏せする“先取り”株式投資術』（パンローリング）がある。

また米国金融・商品市場の分析、情報配信にとどまらず、音楽の分野でも活動を本格的に再開。日米混合のプログレッシブ・ロックバンド「サンセットパーク」を結成、2023年10月にはファーストアルバム“The Night of the Lunar Eclipse”を発表している。

- よそうかい.com：www.yosoukai.com
- 松のすっとびストラテジー：https://www.youtube.com/yosoukai
- サンセットパーク：https://sunsetpark-music.com
- X（旧Twitter）アカウント：@yosoukai

2024年3月3日 初版第1刷発行

現代の錬金術師シリーズ ⑰⑤

米国経済指標の見方・読み方・生かし方

―― 数字の変化でつかむ市場動向

著　者　松本英毅
発行者　後藤康徳
発行所　パンローリング株式会社
〒160-0023　東京都新宿区西新宿7-9-18　6階
TEL 03-5386-7391　FAX 03-5386-7393
http://www.panrolling.com/
E-mail　info@panrolling.com
装　丁　パンローリング装丁室
組　版　パンローリング制作室
印刷·製本　株式会社シナノ

ISBN978-4-7759-9190-9